NANSEN ET JOHANSEN

Ce livre a été traduit avec l'aide financière duDanish Arts Council's Committee for Literature.

Klaus Rifbjerg

NANSEN ET JOHANSEN

Un conte d'hiver

Traduit du danois
par Monique Christiansen

Circé

Published by agreement with
the Gyldendal Group Agency
Imprimé en Bulgarie.
Courriel : contact@editions-circe.fr
ISBN : 978-2-84242-256-1

1

Tout homme nourrit un rêve, mais chez certains, le rêve est plus fort, si fort qu'il se mue en réalité et devient une exigence impérieuse. C'est ainsi qu'il le vivait, il savait que c'était d'un rêve, mais quelque part au fond de lui-même, il sentait que s'il y prenait peine, s'il misait le tout pour le tout, il serait exaucé et que son rêve se réaliserait. Il avait ri de l'expression "Chacun est maître de son destin", mais dans le secret de son cœur, il savait qu'elle disait vrai. On peut ce qu'on veut... quand on peut.

Il avait consacré toute sa vie, jusqu'à ce jour, à démontrer le bien-fondé de cet adage, non sans succès. Il avait su mettre à profit les dons reçus de Dieu, entre autres le sentiment très réaliste de son identité et de ses capacités, ce qui l'équilibrait. Sans avoir des idées grandioses sur sa propre valeur, il savourait, en revanche, son aptitude à pousser ses capacités jusqu'à leur extrême limite. Et ce, à la lettre, puisque son physique lui servait d'instrument de mesure, or, il savait pertinemment que sur le plan corporel, il pouvait aller loin.

Le bruit du pas des soldats, sur le champ de manœuvres filtrait à travers les fenêtres de la chambrée. Il se redressa et s'appuya sur le manche de son balai pour contempler le jour gris et frais en suivant des yeux les mouvements des soldats. Ils marchaient bien ; recrutés trois mois auparavant, ils obéissaient à chaque commandement sans aucune hésitation apparente. Tout équipés, ils avançaient quatre par quatre, au pas cadencé, et quand l'ordre retentissait, avec son décalage particulier par rapport à la cadence, la colonne qui serpentait tournait comme un seul homme et la poussière qui se levait sous les talons des fantassins allait se perdre par-dessus le talus qui n'était pas herbeux, car le printemps était encore assez loin, puisque dans leur pays, il arrivait tard.

Il s'était attribué seul le rôle d'homme de peine, et le sergent l'avait approuvé. Rien à voir avec une punition, pas plus qu'avec une faveur spéciale. Il aurait bien préféré être là-bas, avec les autres, intégré à la troupe, marcher côte à côte avec eux, mais ils attendaient une inspection et il aurait fallu être aveugle pour ne pas voir que s'ils voulaient s'en tirer sans réprimande, un effort supplémentaire s'imposait. Il s'en était chargé, et le sergent avait été d'accord, aussi sur ce point ; ils savaient tous les deux que pour la marche, il pouvait battre toute la colonne et que pour la minutie, il n'avait pas son pareil. Ils savaient parfaitement tous les deux qu'ils ne pouvaient se passer d'une certaine mise en scène, c'était purement intuitif, implicite, nul besoin de négociations préliminaires, cela se passait "entre eux", bien que ni l'un ni l'autre n'eussent jamais voulu admettre qu'il en était ainsi.

Il faisait encore nuit quand le sergent, ouvrant la porte d'un coup de pied, avait fait irruption dans la puanteur moite qui s'exhalait des hommes endormis. Longeant les deux étages de la rangée des lits superposés, il avait tapé sans ménagement sur les châlits avec son bâton. Il était six heures. La plupart des hommes, déjà assis sur leur lit, s'étiraient et bâillaient en geignant un peu, certains restaient couchés. Lui se tenait debout à côté du sergent, au repos. Allongé sur son lit, les yeux brillants et grands ouverts, il avait entendu les pas approcher et attendu le choc du coup de pied qui ouvrait la porte. Il avait été extraordinairement réveillé.

Quand tous les hommes furent debout, fustigés par le bruit et les grossièretés du sergent, ce dernier aboya ses ordres : "Debout là-dedans. Toute la troupe prête pour la revue dans un quart d'heure sur la place, en tenue de campagne. Lavée et repassée. Au galop ! Et que ça saute..." C'était presque sympathique, les choses se déroulaient strictement comme on s'y attendait, c'était d'une prévisibilité désarmante, mais au moment où il passait devant le sergent en allant aux lavabos, avec un petit sourire et déjà au pas cadencé, ce dernier l'avait arrêté en pointant sa baguette devant lui. Les hommes qui le suivaient l'avaient percuté, surpris par ce freinage subit, puis ils l'avaient contourné pour passer, avec des sourires amers à peine perceptibles.

"338 Johansen!

– A vos ordres, sergent.

Il avait un peu vacillé pour ralentir et se mettre à un garde-à-vous plus conforme au règlement. Raidi, les mains sur la couture du pantalon.

"Vous avez les yeux ouverts?

– Oui, sergent.

– Vous avez regardé autour de vous?

– Oui, sergent.

– Alors, vous avez peut-être remarqué comme cette chambrée est dégueulasse?

– Oui, sergent.

– Peut-être qu'on pourrait y remédier, 338 Johansen? Je crois que vous avez une certaine responsabilité, hein, Johansen? Sous-caporal Johansen…

– Oui, sergent.

Le jeu avait duré longtemps, si longtemps même, que le sergent avait jugé bon de s'adosser et de reposer son épaule contre le lit à deux étages qui se dressait derrière lui.

– Vous avez les yeux suffisamment ouverts pour regarder dehors?

– Pour regarder dehors, sergent?

– Si vous regardez dehors, vous remarquerez qu'il fait gris, vachement gris et plutôt glacial aujourd'hui. Juste ce qu'il faut à la troupe, n'est-ce pas?

– Tout juste, sergent.

– Mais en ce qui vous concerne, vous allez rester dedans, comme une vraie gonzesse, pas vrai, Johansen ? Une journée à frotter et à astiquer, avec du feu dans le poële.

– A vos ordres, sergent.

Il avait senti sa poitrine se dilater, son envie de rire, le rire prêt à fuser juste sous le larynx. Mais il n'avait pas ri, il s'était borné à bomber la poitrine encore davantage, comme si elle allait éclater.

La journée était très grise et le froid semblait pénétrer même dans la chambrée. Quand toute la troupe était là, la chaleur animale réchauffait la pièce, mais sans ses camarades, même si le poële de l'encoignure enflait à force de chauffer, il y régnait une humidité crue que seuls pourraient chasser le soleil et l'air de l'été, s'ils y réussissaient vraiment. Si seulement il avait neigé, cela aurait adouci les choses, mais si près de la mer, la neige fondait vite sous le vent d'ouest, surtout à l'approche du printemps, même si ce dernier restait encore passablement loin à l'horizon.

Il cala le manche du balai contre le rebord du seau et alla jusqu'à la fenêtre. Il voyait dehors l'univers qu'il s'était choisi. Un univers qui réalisait son rêve, mais derrière ce monde, il pressentait aussi la présence d'un autre rêve, plus grand, plus audacieux. Cela le fit sourire de nouveau, tandis qu'il suivait des yeux l'escouade qui évoluait sur la piste cendrée. Le mécanisme qui faisait marcher ces jeunes corps en cadence avait quelque chose de merveilleux. Le groupe était assez loin, tout au fond, dans le coin extérieur, mais le rythme des jambes lui parvenait sans peine. Tic-tac, tic-tac. Il sentait battre son cœur comme s'il était lié à ces membres, là-bas, à ces muscles, à ces cerveaux à demi anesthésiés où les rêves allaient et venaient. Il se sentait étrangement responsable, à la fois des soldats, là-bas, et de lui-même. Il ressentait très fort qu'il y avait quelque chose à faire, et que lui et les autres en faisaient partie. Mais surtout lui.

2

Nul ne peut dire avec certitude d'où viennent les qualités intrinsèques des individus. On attribue de l'importance à l'hérédité, mais l'enfance et l'éducation jouent aussi leur rôle. Les opinions sont gratuites et ont tendance à se muer en banalités. Mais une paire de skis est une chose concrète, qui ne se discute pas. On lui avait donné sa première paire pour ses cinq ans et son bonheur avait été infiniment plus grand qu'on n'eût pu s'y attendre en voyant ces deux planches dotées d'une courroie primitive en guise d'attache. Pourtant, sans aucun doute, il avait vécu cet événement comme une sorte de consécration, et quand son père l'avait emmené dans la petite entrée où les skis l'attendaient, à côté de ceux des grandes personnes, placés là depuis toujours, il y avait à la fois du sérieux et de la solennité dans l'air.

Il avait rêvé en silence du jour où il aurait des skis, lui aussi. Il les avait désirés ardemment, mais sans jamais en parler. Il ne réclamait pas, l'idée ne lui venait même pas que l'on pût réclamer. Les circonstances faisaient qu'il était hors de question qu'on le gâte. Son père, forestier, fabriquait des poutres, sa mère était à la maison et s'occupait de lui et des deux autres enfants, un frère aîné et une sœur cadette. Ils ne manquaient de rien, ni plus ni moins, mais cela non plus ne se discutait pas. La vie quotidienne avait sa forme, la forme qu'elle devait avoir, qui ne pouvait être autre, comment eût-elle pu l'être ? Les saisons alternaient et l'été, tout était plus facile, la vache montait à la montagne et on leur apportait un nouveau cochon, le soleil brillait, les fleurs s'épanouissaient et l'herbe était verte. Mais il préférait l'hiver.

Quand il était dans son lit, à côté de son frère, et que tombait la première neige, quelque chose se passait en lui. A la fois tendu et parfaitement calme, il avait l'impression que bientôt, il se lèverait et planerait dans les airs, en même temps qu'il se blottissait dans la paillasse et dans sa propre chaleur. Ce vertige le dilatait et le comprimait à la fois. Il sentait la chaleur de son frère et entendait sa respiration, légère et paisible, en même temps que le friselis et les picotements de la neige qui montait et descendait le long des petites fenêtres et recouvrait le toit comme une cape, s'envolait quand il gelait et filait plus loin, entre les arbres nus et les hauts sapins. Il voyait tout cela d'avance, sachant que le lendemain matin, tout serait blanc du haut en bas. Alors, il s'endormait.

La plupart du temps, son père était déjà en forêt quand sa mère servait aux enfants attablés leur boisson chaude et la bouillie. Mais ce matin-là, son père était avec eux, assis au bout de la table, tandis que sa mère allait et venait et que les autres mangeaient en silence. La pénombre régnait dans la pièce mais le reflet de la neige venant du dehors donnait aux visages une teinte bleuâtre et froide. La cuisinière était allumée, le son des petites explosions des brindilles de sapin ponctuait le fil des pensées à moitié conscientes qui leur traversaient l'esprit. Son père avait levé la tête pour le regarder d'un air sérieux, mais un petit sourire guettait aux commissures de ses lèvres. Ce n'était ni son anniversaire ni Noël, et pourtant, il y avait de la solennité dans l'air. Sa mère avait posé la bouilloire sur la cuisinière et mis les poings sur ses hanches, elle aussi avait l'air sérieux et souriait.

Son père s'était levé et lui avait tendu la main. Les deux autres enfants le suivaient des yeux, comme sa mère. Il ignorait ce qui allait se passer, mais il n'avait pas peur, n'ayant rien fait de défendu, à sa connaissance en tout cas. Un instant plus tard, main dans la main, ils étaient allés dans l'entrée où il faisait froid et où quelques flocons de neige qui s'étaient immiscés par les fentes, tournoyaient sur place avant de se poser tranquillement sur le sol de terre battue. D'abord, il n'avait rien compris de ce qui allait se passer, en remarquant simplement que quelque chose avait changé dans la petite pièce. Puis il avait aperçu les skis, debout à côté d'une paire qu'il connaissait et qui appartenait à son frère. Ceux-là, il les avait essayés, mais ils n'allaient pas, ils était trop grands. Les nouveaux étaient à sa taille et dès l'instant qu'il les aperçut, il sut que c'étaient les siens. On eût dit qu'ils n'étaient pas seulement là, mais que d'un seul coup, il se les appropriait et qu'ils faisaient partie de lui. Comme il percevait la chaleur sèche, rassurante, de la main de son père, il avait pressenti l'intimité de ces skis et compris qu'ils seraient son destin – alors qu'il n'avait aucune idée de ce qu'était le destin. Mais sa solennité et sa joie ne trompaient pas ; lâchant la main de son père, il avait posé ses deux mains sur le nez crochu des skis pour éprouver leur élasticité. Il ne lui restait plus qu'à sortir et à les chausser.

3

Tous les skieurs le savent, c'est le rythme qui fait avancer. Chez lui, le rythme était inné, non seulement quand il skiait avec ses bâtons et à longues poussées puissantes, en créant sa propre piste dans la poudreuse, entre les bouleaux et les sapins, mais aussi quand il était debout, en haut de la descente, et qu'il s'élançait pour filer vers l'abîme, se baissant souplement dans les lacets en se penchant à droite, puis à gauche. Il lui arrivait d'avoir peur. En automne, quand il n'écoutait pas le murmure de la neige mais le mugissement de la tempête qui mastiquait, noire comme l'abîme, son cœur battait, inquiet, et il aurait voulu être ailleurs. Mais jamais il n'avait peur dans la neige et jamais sur des skis, là c'était lui qui créait l'univers et en traçait les limites, et cela durait depuis ses cinq ans, depuis qu'on lui avait donné ses premiers skis.

Il comprenait à peine ce qui l'avait pris, par ce matin obscur, avant le lever du soleil, quand ils étaient sortis de la maison pour poser les skis côte à côte, dans la neige. Il avait à peine pu attendre qu'on lui mette son pull-over et sa blouse et qu'on lace ses galoches, il était même si pressé qu'il avait perdu ses moufles, restées par terre, suppliantes, sur la trace laissée derrière lui. Il avait glissé les pieds dans les attaches et avant d'avoir réellement senti, sur le cou de pied, leur douce pression naturelle, il s'était élancé, avait filé sur la petite pente qui descendait de la maison entre les troncs noirs et avait disparu. Un peu plus tard, il avait entendu leurs cris et leurs appels, mais il savait que quelle que soit la distance à laquelle il s'aventurerait, il retrouverait sa route, ses skis s'en chargeraient, il le déciderait tout seul. Sa confiance était telle qu'il avait oublié de faire attention. Quand la racine tordue d'un grand sapin, qui sortait de la neige en formant une grosse boucle, avait happé l'un de ses skis, il avait culbuté dans la neige et s'était retrouvé par terre. Il ne s'était pas fait mal, mais soudain, le halo presque inconscient créé par son long rêve s'était déchiré et il avait réentendu l'écho de leurs appels. Il savait bien où il était et comment il retrouverait son chemin, mais il avait aussi compris qu'il s'agissait d'être prudent, il n'avait pas réagi comme un enfant de cinq ans pris de peur, mais comme quelqu'un de beaucoup plus mûr et qui voulait l'être, comme un homme.

D'autres skis avaient remplacé les premiers, et ce qui avait été inspiration et naturel s'était transformé en technique et perspicacité. Mais sa spontanéité ne l'avait jamais quitté ; quand il avait les skis aux pieds, il devançait toujours les autres, c'était comme si sa façon particulière de glisser et son énergie le propulsaient en avant. Il ne lui poussait pas des ailes, comme on dit, au contraire, la force qui l'animait venait du bas, comme si elle naissait de la neige et de sa force intérieure. De profonds courants terrestres investissaient ses skis et son corps, il pouvait décoller et sauter aussi bien que n'importe qui, mais il redescendait sur terre, et c'était là que cela se passait, sur la piste, dans la neige, où il montait, descendait, filait.

Il n'était écrit nulle part qu'il devait suivre cette voie-là. Aucune tradition n'imposait aux enfants du charpentier de fréquenter une autre école que celle du hameau, où on les accueillait irrégulièrement pendant sept ans au plus. Mais le pasteur avait noté, chaque fois qu'il les interrogeait – tous les six mois – qu'un des garçons lisait mieux que les autres, qu'il y avait dans sa voix une fermeté et une assurance que l'on entendait rarement. La plupart du temps, c'était le bégaiement, des euh et des beuh, mais chez lui, les mots sortaient ronds, bien formés et si naturellement que ce garçon paraissait les inventer à mesure, au lieu d'aller les chercher péniblement dans un livre. Personne ne savait pourquoi il en était ainsi, pas même ce gamin, il se donnait du mal, évidemment, mais lire et écrire, ce n'était pas comme faire du ski, il fallait qu'il se donne du mal, encore et toujours, mais n'était-ce pas pour cela qu'on allait à l'école ?

En écoutant sa ritournelle, avec un petit sourire, le pasteur contemplait ce blondinet dont les boucles tombaient sur le col pour former un écheveau doré. Il ignorait si cette scène était un mirage né du hasard ou la manifestation réelle de capacités particulières, mais il se sentait inspiré, et tout en demandant sérieusement au garçonnet de continuer sa lecture, il s'était approché, assis sur le banc, à côté de lui, et lui avait mis la main sur le cou. Dehors, c'était l'été, le vent léger soufflait. Un coucou chantait dans un buisson, de l'autre côté du marais, son chant leur parvenait comme un écho, du reste, n'était-ce pas un écho en soi ?

Il avait fallu beaucoup de temps pour convaincre ses parents que les facultés de l'enfant dépassaient celles dont on hérite d'ordinaire. Il était presque aussi bon quand il maniait la hache et la scie que quand il skiait, mais cela, tant d'autres savaient le faire, on en trouvait "treize à la douzaine" de ceux-là, comme disait le pasteur, sans réfléchir qu'en parlant ainsi, il vexait son père et son frère qui travaillaient dans la forêt sans rien pouvoir imaginer d'autre. Pourtant, bien qu'il ait quand même réussi à aller au lycée, et plus tard à décrocher son baccalauréat, jamais il n'avait eu de mal à revenir à la maison ; il était tout de suite en confiance, et quand sa mère était morte et que, debout au cimetière, ils avaient écouté le discours du pasteur, il était parfaitement conscient de ses origines et il savait que ce que disaient son père, et son frère, et sa sœur, quand ils ouvraient enfin la bouche, était plus authentique et digne de foi que les paroles du pasteur, même si son discours sortait comme un torrent roulant et ronflant, sans un seul accroc.

Quand ils avaient franchi le sommet de la colline pour rentrer à la maison, plus seuls que d'ordinaire, il s'était demandé comment tout cela tournerait. Il pouvait commencer tout de suite à se servir de la scie et de la hache. Mais était-ce suffisant ? Ils s'étaient privés pour lui, peut-être même était-il même partiellement coupable de la mort de sa mère ? L'idée l'effleura, mais on ne pouvait pas penser ainsi. D'autre part, une table, une chaise et un livre ne lui suffisaient pas. De nouveau, cela le frappa, il devait y avoir quelque chose de plus, il avait déjà tant reçu que c'était son tour de donner. Mais quoi ? Il ne savait pas vraiment quoi, mais il savait, en revanche, que ce qu'il y avait à donner devait venir de lui et qu'il en faisait partie. Arrivé sur la marche du perron, il s'était retourné avant d'entrer pour regarder du côté de la forêt. L'herbe était verte, le soleil brillait et scintillait entre les troncs. Il se souvenait de la phrase de Gunnar : "Si belle est la montagne" ce héros de la Saga de Njals qui n'avait pu se résoudre à s'exiler, mais il savait aussi qu'il devait poursuivre sa route, que la piste conduisait dans la forêt et ne reviendrait pas, que des dangers l'attendaient, mais qu'en étant résolu, avisé et prévoyant, on pouvait les surmonter. Lorsque l'hiver viendrait et que la neige arriverait, il retrouverait toujours le chemin du retour, il le savait, et ce serait sans difficulté par-dessus le marché.

4

Pendant sa scolarité et en grandissant, il découvrit qu'il était un homme. Il n'ignorait pas que le corps se transforme pendant la croissance, il l'avait vu chez son frère, et quand son père prenait son grand bain, debout dans la bassine en bois. Quand la lumière qui venait de la porte ouverte du four jouait sur son père de la tête aux pieds, on voyait nettement sa différence. Pourtant, c'était une expérience étrange de voir pousser des poils, tout à coup, à des endroits imberbes jusque-là et quand il levait les bras et se regardait dans la glace, il éprouvait très fortement ce double sentiment d'étrangeté et d'intimité. C'était dans son propre corps que les choses se passaient, pas dans un autre, mais il voyait en même temps que les autres garçons se transformaient, qu'ils avaient en commun quelque chose dont ils ne parlaient pas, mais qu'ils voyaient et ressentaient, sans plus.

Ils s'observaient à la dérobée. Cela ne différait guère des occasions où il avait observé son père, plus ou moins en cachette, et découvert son poids, avec stupeur et non sans une certaine frayeur. Pas seulement ses épaules courbées, ses longs bras et son poitrail puissant, le poids même de son sexe était surprenant, surtout peut-être à cause des testicules qui se balançaient librement et des poils qui poussaient au-dessus de ce membre couleur crête de coq et montaient jusqu'au nombril. Ses camarades ne lui ressemblaient pas, mais les plus développés se démarquaient malgré tout, avec une brutalité directement proportionnelle à une fierté bien camouflée et à la dimension de leur organe.

Même sous la contrainte, aucun d'eux n'eût admis qu'il guignait les autres, et lui-même ne savait pas s'il le faisait réellement ou non. Comme lorsqu'il s'observait et s'examinait dans la glace, pendant toute sa transformation, il regardait et ne regardait pas, il brûlait de curiosité tout en restant totalement indifférent, c'était extrêmement troublant et aussi attirant et repoussant que l'émotion qui s'emparait de lui lorsque, sans qu'il le veuille, sa verge se dressait pour flairer et chercher, se balançant à droite et à gauche au rythme de son pouls.

Il était très difficile de faire tout naturellement le lien entre cette chaleur qui l'envahissait et les menaces et les mots glacés qui pleuvaient quotidiennement sur lui et ses camarades. On leur parlait du corps et de son insoumission, aussi bien à l'église qu'au lycée. L'évangile de la terreur, propagé avec passion, était d'autant plus menaçant que personne ne comprenait vraiment de quoi il s'agissait. Jamais on ne mentionnait rien de concret, tout était images, présomptions, métaphores et paraboles effrayantes. Malgré tout, il ne faisait aucun doute, au milieu de toute cette obscurité, que ce que lui et ses camarades découvraient en eux et entre eux était mauvais, illicite, inadmissible et même détestable.

C'est pourquoi sa pratique du ski devint différente de ce qu'elle avait été par le passé. Une dimension nouvelle s'y ajouta et contrairement à ce qui se passait autrefois, elle l'éloigna de lui-même. Alors que précédemment, il vivait une fusion, à présent, il éprouvait une division. Il voulait prendre son rythme, sinon rien n'allait plus, mais présentement, il fallait qu'il se batte, non seulement pour s'éloigner de ce corps coupable qu'il traînait apparemment, mais aussi pour retrouver le skieur qu'il avait été et qu'il était toujours. Quand il s'était enfin rattrapé, sa souffrance s'atténuait, sa fuite se transformait en une course harmonieuse, et bien qu'il fût conscient de la récompense à venir, il trouvait, occasionnellement, que les efforts à faire pour la gagner étaient trop durs et les tourments trop grands.

Pour un observateur extérieur, ces affres ne détruisirent pas son style, car enfin, en toute équité, nul ne pouvait prétendre qu'il était devenu moins bon skieur parce qu'il avait des poils sous les bras et entre les jambes. Au contraire. Il était meilleur que jamais, et quand des disciplines supplémentaires s'y ajoutèrent, il sentit émerger un élément resté peut-être latent jusque-là dans son esprit. Il comprit soudain la beauté de la compétition, et le ski, d'expression harmonieuse d'un surplus d'énergie physique et d'un rythme, se mua en une activité ciblée qui ne se suffisait plus à elle-même mais qu'il devait dépasser, et de préférence largement.

Nous l'avons dit, son style n'en fut pas transformé, il s'affirma simplement, une dimension consciente – nécessaire ! – vint s'y loger ; alors qu'autrefois, il avait simplement glissé sur ses skis (il eût pu glisser ainsi jusqu'au bout du monde et retrouver son chemin pour rentrer chez lui), il se concentrait énergiquement maintenant pour progresser vers un but défini, un point donné, une fin où quelque chose l'attendait. Il n'imaginait pas très précisément quoi. Le but banal sur lequel ils s'étaient mis d'accord ou la compétition que ses supérieurs avaient organisée ne jouaient pas un rôle essentiel. Ce qui le poussait, c'était bien davantage le rêve d'une libération, ou d'une initiation, quelque chose qui l'élèverait et l'éloignerait de son corps, qu'il subissait comme un fardeau trivial.

De toutes ses forces, il luttait contre la sentimentalité, et malgré tout, son rêve se libérait pendant qu'il skiait. Il avait particulièrement soigné ses skis, en les fartant en fonction de la légère humidité de l'air et de la consistance de la neige ; il n'était plus question des planches étroites de ses premiers skis, il avait des skis en hickory, et une paire de bâtons élastiques aux pointes métalliques, avec des attaches de cuir dans les rondelles du bas. Il portait ses provisions dans un sac à dos qui contenait, outre son paquet de sandwiches, une bouteille de sirop, une paire de moufles de rechange et une couverture, ainsi que trois farts différents pour ses skis. Il avait bien réfléchi, soupesé chaque détail, comme toujours, et malgré tout, des pensées anxieuses vinrent le tourmenter quand il se mit en route et s'efforça de prendre le rythme.

Il pensait à sa mère et se demandait pourquoi il ne l'avait pas pleurée convenablement, quand elle était morte. Cela lui échappait ; en touchant ses yeux, il s'était étonné qu'ils restent aussi secs. Le discours du pasteur, devant la tombe, l'avait embarrassé. Ces mots qui roulaient et déboulaient sans difficulté étaient trop faciles à percer à jour. Il lui semblait aussi très étrange que lui-même, qui se battait pourtant pour s'exprimer, parle malgré tout facilement, et que les mots l'aient conduit dans des lieux inattendus, où il n'avait peut-être aucune envie d'aller, en réalité. Sa poitrine lui fit mal, mais comme il savait que s'il faisait un effort de plus, cela passerait, il le fit et sa course changea de nouveau, il plana fébrilement, comme s'il avait réellement quitté la neige et s'était envolé.

Il avait eu envie de pleurer; sa sœur avait pleuré, quoi de plus naturel, mais lui n'avait pas pu, malgré tous ses efforts. A présent, il se forçait à regarder la neige et ce paysage montagneux, très vaste et très haut à cet endroit-là et presque sans arbres. Il créait ses propres traces, la descente lui appartenait. Soudain, il s'arrêta et resta immobile. Il se pencha en avant et se reposa sur ses bâtons. Devant lui, la neige était intacte, parfaitement vierge. Pas un bruit à part celui de sa respiration. Au loin, deux corbeaux planaient, sans un cri. Il se redressa, regarda le soleil, les yeux plissés, puis il détourna la tête et cria très fort: "Hjalmar !". L'écho, qui ne lui revint qu'un moment plus tard, était très faible. Il secoua la tête et se redressa. Sans savoir pourquoi, il sourit. Les deux corbeaux avaient disparu et le silence était vraiment total maintenant. Quand il déplaça ses bâtons, il fut presque soulagé d'entendre le très léger cliquetis métallique, comme coriace, des petites rondelles du bas. Il poursuivrait sa route à présent.

Il arriva sur le champ de tir avant les autres et vit les fusils formés en faisceaux, sans leurs baïonnettes. L'instructeur le vit arriver, et comme ils savaient tous les deux que ce qui allait se passer était un nouvel exercice, il marchait plus vite que d'ordinaire, avec la mine de quelqu'un qui sait tout et qui comprend tout. Peut-être que ce petit homme, qui boîtait légèrement de la jambe gauche, avait justement cet emploi parce qu'il ne pouvait rien faire d'autre.

– Vous avez l'habitude de tirer?

– Non.

– Comment vous appelez-vous?

– Johansen.

– Johansen, Johansen? Vous n'avez pas de prénom?

– Hjalmar.

– Hjalmar. Hjalmar Johansen. Hum.

L'instructeur changea de jambe, faisant peser tout son poids sur sa jambe droite. Il secoua la tête. Les autres commençaient à arriver, ils venaient de la forêt et passaient par le portillon en fil de fer de la clôture. Un chien aboyait, mais demeurait invisible.

– Ce qu'il faut, c'est se calmer.

Il hocha la tête.

– On n'arrive pas en courant, tout essoufflé, pour se mettre en position de tir et croire qu'on va toucher la cible. Cela exige du calme.

L'instructeur, quant à lui, semblait rien moins que calme. Des rougeurs montaient et descendaient de chaque côté de son nez. On retrouvait, chez lui, la même contrainte artificielle que chez le pasteur. Sans doute était-il ce qu'on appelle un professionnel, mais il n'inspirait pas confiance. Peut-être pouvait-il quand même enseigner le tir.

On leur distribua les carabines et les faisceaux disparurent. Beaucoup riaient en gesticulant avec leurs armes dans différentes directions, mais il régnait malgré tout une certaine solennité nerveuse, et quand l'instructeur cria un ordre, ils se reprirent et se calmèrent. On leur distribua de vraies munitions, cinq coups chacun. Les cibles étaient dressées à l'extrémité du champ de tir, chaque homme fut placé sur une piste. L'instructeur allait de l'un à l'autre, expliquait l'agencement du terrain en faisant remarquer qu'il y avait des marqueurs au bout du champ, derrière le talus, et qu'ils étaient vivants. "Du sérieux," disait-il. "C'est du sérieux, cet exercice-là."

Le tir commença ; les coups claquaient sur les oreilles comme des gifles retentissantes. Après la détente, il y avait une longue aspiration, suivie d'un pif-paf. Il sentit son arme taper violemment contre son épaule, mais pas avant qu'ait disparu l'anesthésie du coup proprement dit. Tout le reste se résumait en une terrible concentration autour de l'œil que l'on sentait en quelque sorte tiré à travers le cran de mire et vissé sur cette tache qui vous fixait, de loin, de très loin, au centre de la cible. L'instructeur lui souffla sur la nuque.

– Vous êtes en dessous, Johansen, très en dessous. Visez haut!

Il sentit une chaleur sous son col, comme si quelqu'un avait posé une main sur lui. Il regarda de tous côtés puis se reconcentra sur la cible, mit le fusil en joue et souleva légèrement le canon. Avec un retard en douceur, il pressa sur la détente. Il aurait voulu se retourner et frapper celui qui était derrière lui parce qu'il lui avait claqué les deux mains sur les oreilles, mais à ce moment-là, il vit la baguette du marqueur avec sa tache rouge, tourner juste autour du centre de la cible. Il se redressa, serra les paupières, et derrière lui, il entendit renifler. Mais quand il se retourna, l'instructeur se dirigeait déjà vers le suivant, sans faire attention à lui. Il vit seulement qu'il boîtait, alors, regardant de nouveau la cible, il n'y vit pas le moindre indice prouvant qu'il l'avait touchée ou non. Bientôt, ils repartiraient, il avait toujours ses skis aux pieds, maintenant, ils devraient aussi porter une arme. Il soupesa le fusil, évalua cette charge supplémentaire, et décida à part lui qu'il s'en sortirait sûrement. Il était certain d'avoir touché la cible et que le marqueur l'avait montré. Cela ne faisait pas de doute. Pas l'ombre d'un doute.

5

Avait-il "outrepassé les limites de ses compétences" ? Le seul fait de connaître cette expression, entendue dans la bouche de son professeur d'histoire, le rendait conscient de sa culpabilité. Ce sentiment ne lui pesait pas constamment, mais quand il le prenait au dépourvu, il le déprimait. Il vivait seul dans une chambre donnant sur une arrière-cour où se trouvait une pompe. Les cabinets étaient derrière, dans un appentis, et il devait traverser la cuisine de ses logeurs et descendre six marches pour y accéder. Les gens dont il était le locataire ne manquaient pas de gentillesse, lui était dans les chemins de fer et rentrait avec sa lanterne à la nuit tombante. Il ouvrait le portail de la cour et la lueur de la lanterne qu'il balançait montait et descendait sur les planches de la maison, tout était en bois. En hiver, les frontières s'effaçaient, il faisait noir presque nuit et jour, vers midi seulement, un pâle reflet fumeux de la lumière du jour tombait sur les maisons et en dessinait les contours.

Il n'avait rien contre l'obscurité, elle lui donnait, au contraire, une impression de sécurité. C'était plutôt cette pâle lumière de la mi-journée qui l'amenait à se sentir déplacé. Ce n'était pas lui qui payait le loyer, et certainement pas son père. Tous ses frais étaient couverts par ceux qui trouvaient qu'il avait des dons qui devaient être développés. Cela, déjà, l'avait éloigné de ses origines, et quand il pensait au passé, c'était avec des sentiments mitigés. Son pays lui manquait, mais en même temps, il voyait les autres courber le dos sous une routine pesante qui paraissait totalement privée d'avenir. Les choses ne changeraient jamais et sa mère était morte. A cela, surtout, on ne changerait rien.

Penché sur ses livres, il ressentait une souffrance proprement inexplicable. Il se savait privilégié, mais l'accès à cette vie nouvelle, qui s'ouvrait largement devant lui, l'étourdissait et lui faisait honte à la fois. Pourtant, cela le faisait aussi rêver, car quelque part, il était persuadé qu'au-delà du stade où il était parvenu, il y en avait un autre, il y avait un avenir, il y avait un espoir. Sans l'admettre totalement, il espérait que ses nouvelles conquêtes effaceraient les précédentes. Mais quand il relevait la tête et comprenait que ce qu'il voulait, c'était tuer le passé (et par là ceux qu'il aimait le plus au monde), il avait honte et se sentait rougir du cou jusqu'à la racine des cheveux.

A l'école, il ne comptait ni parmi les meilleurs ni parmi les plus faibles. C'étaient les langues et la littérature qui lui causaient le plus de difficulté, même s'il continuait à lire couramment et à avoir une belle prononciation. Mais quand ils parlaient du contenu des textes, il se sentait exclu, il éprouvait même une toute petite gêne. Pour lui, la strate que ses condisciples trouvaient sous les mots persistait à être invisible, tandis que les formules mathématiques coulaient sans peine dans sa tête et qu'en physique et chimie, quand il arrivait à des choses qui se mesuraient, se pesaient et se combinaient, il ressentait le même genre de calme et d'excitation que sur le champ de tir, quand il épaulait sa carabine et visait.

Tous les matins et soir, à l'aller et au retour du lycée, il regardait les gens qui l'entouraient. Ils gravissaient la colline, l'air las ou accablé, comme s'ils portaient un fardeau sur le dos. On eût dit qu'ils marchaient dans l'eau. Dans la neige, tout était différent, et sur les skis, les limites s'effaçaient. Il y avait aussi de la neige en ville, mais elle se transformait constamment, fondait, disparaissait sous la pluie, gelait. Chez lui, la blancheur régnait, lumineuse, le reflet de la neige était comme une lampe qui ne s'éteignait jamais. En ville, les ombres grandissaient autour des passants qu'enveloppait une légère lueur violette. Impossible d'apercevoir le soleil, mais son faible rayonnement venu de là-bas, sous la ligne d'horizon, touchait les visages et les rendait poreux et vulnérables. En hiver, les morts étaient vivants.

Ce fut précisément sa découverte de la facilité d'accès et de l'évidence des sciences exactes qui lui fit prendre en grippe la nature fangeuse et impénétrable des sentiments. Il en vint à considérer la différence entre la lumière et l'obscurité comme quelque chose de concret. Tout s'expliquait, c'était écrit dans les livres, il n'y avait pas à s'y tromper. Quand il rentrait pour déjeuner (il préparait son sandwich dans sa chambre et faisait du café sur un primus), c'était souvent le moment où la lumière devenait assez forte pour que cette couleur bizarre rouge morbide soit le plus visible. Un jour de février, il s'arrêta, et en écoutant le bruit étouffé des pas des passants, il se força à imaginer la rotation de la terre et la marche de la planète autour du soleil. Rien de mystérieux là-dedans, aucune raison ni de donner une âme ni d'ajouter une plus grande importance aux changements atmosphériques et au retour ou à la disparition de la lumière. Il s'agissait de lois de la nature, un point c'était tout. La découverte était peut-être banale, et même trop facile, mais pour lui, ce fut une révélation, et en approchant de son logis, il sentait déjà qu'il marchait plus légèrement et ne traînait plus les pieds autant que les autres.

Tandis que le printemps approchait et que "la belle saison" décrite dans les livres et discutée par les autres était en vue, il élargit sa connaissance concrète des phénomènes naturels et découvrit en même temps que le fardeau qui pesait sur sa nuque s'allégeait. Ce fut une surprise inattendue. Quand il suivait le trou de lumière qui grandissait de jour en jour et occupait un laps de temps de plus en plus important, il se surprenait à siffler, car dans sa tête, ses effets phénoménologiques étaient si évidents et si palpables qu'ils le chatouillaient, pour ainsi dire. Tout devait être cohérent et si les choses apparaissaient telles qu'il les voyait, c'était une question de longitude et de latitude, d'inclinaison et de rotation, et quand il y ajoutait, par-dessus le marché, les aléas de la météorologie, le jeu qui se jouait comprenait certes des éléments d'incertitude, mais restait d'une cohérence palpable malgré tout. Soudain, l'obscurité acquérait une clarté toute autre que celle qu'il avait vécue chez lui, reflétée par la neige, ou en été, lorsqu'on parvenait à peine à forcer le soleil à disparaître sous l'horizon, quand l'astre restait suspendu, comme le "ballon de la terre", comme disaient les autres, et qu'il semblait danser et sauter sur une corde vivante, qui vous donnait le vertige.

Là était le défi, il le voyait clairement à présent, on pouvait trouver l'équilibre entre la mécanique et l'imprévisible, chose importante à coup sûr, mais il importait tout autant de ne pas se laisser écraser ou briser par les situations insolubles, où apparemment, les lois craquaient. Parce que malgré tout, les lois existaient, il suffisait de savoir les déchiffrer, de compter sur elles, d'en tirer de l'expérience, de les situer dans un contexte. On pouvait être sûr et certain qu'un front chaud serait remplacé par un front froid – puisqu'il était sur ses talons ! – et que de la bruine ou des brouillards seraient remplacés par des averses, des cumulus et des éclaircies, mais même quand on le savait, après avoir fait le relevé de tous les pronostics, les choses pouvaient se passer tout différemment, offrir des différences insensées avec ce qu'elles "auraient dû" être. Non que les règles n'aient pas existé pas ni que le modèle stipulé n'ait pas été conforme à la vérité, mais tout simplement parce que tant de choses pouvaient arriver et tout changer.

Il fut submergé par cette sensation de rigueur et d'élasticité nécessaire. La terre même lui sembla plus solide sous ses pieds, en même temps que le vent de l'univers soufflait gaiement dans ses cheveux. Il enlevait son bonnet et laissait flotter ses boucles blondes. Il traversait la journée d'un bon pas ; même s'il souffrait encore d'instants de tristesse noire en pensant à ce qu'il avait quitté et perdu (et supprimé ?), il se sentait plus libre, et quand il se voyait dans le miroir mat accroché au-dessus de sa cuvette, il éprouvait toujours un brin de culpabilité inquiète, mais aussi une curiosité énergique, surprenante. Son corps n'était peut-être pas fiable, mais lui aussi obéissait à des règles, de plus, il savait par expérience que s'il se donnait du mal, son physique répondrait comme il le voulait. Il pouvait se servir de son corps, et l'on eût dit que celui-ci le savait et se tenait prêt. Cela arrivait dans la neige, cela arrivait sur le champ de tir, cela arrivait dans l'eau, quand il avançait en s'ébrouant, avec tout son paquetage, il n'était donc plus tout à fait aussi gêné qu'autrefois quand, debout devant le miroir, il glissait ses mains sur ses hanches, ses reins et ses cuisses en sentant le plaisir que lui donnaient ces caresses.

Vers la fin du printemps, il tomba amoureux. Il était loin de soupçonner la nature de son mal, il est vrai, mais à un bal où la classe des plus âgés avait été invitée pour qu'ils fassent office de cavaliers, il s'aperçut qu'il ne quittait pas des yeux une certaine jeune fille, où qu'elle se trouvât sur la piste de danse, ou qu'elle fasse tapisserie, ce qui arrivait très rarement. Lui ne dansait pas, il n'avait pas les moyens de ces choses-là et elles ne lui avaient jamais manqué. Pourtant, sa poitrine se serra quand il vit les autres se lancer dans le quadrille, ou un cavalier prendre sa dame par la taille et faire avec elle les premiers pas d'une valse. La tête lui tournait, il avait chaud aux mains et en même temps, les muscles de son dos se contractaient et il se raidissait sur sa chaise. Sa tension s'accentua encore davantage quand il vit une grande fille élancée, aux cheveux noirs et au visage sérieux, passer devant lui en dansant. Elle avait le nez droit, des yeux bruns, profonds et écartés, les cheveux relevés et une rose piquée au-dessus de l'oreille, sur son sein, une broche en argent et les voiles de mousseline superposés de sa robe descendaient presque jusqu'à terre où, quand elle dansait, l'on apercevait ses souliers de couleur claire et ses bas blancs.

Elle avait une tête de plus que son cavalier, étant même sans doute la plus grande de tous dans la salle, ce qui, justement, la rendait majestueuse, il ne trouvait pas d'autre mot. Etrangement, ce ne fut pas à une reine qu'il se prit à penser, mais plutôt à un roi ou à un prince. Il l'imagina en armure, cela lui serait bien allé, ses yeux sérieux et concentrés semblaient déjà regarder à travers une visière, et l'aura dorée, mais froide, qui l'entourait rappelait une armure. Toute entière à la danse, elle se laissait conduire. En même temps, elle paraissait lointaine, comme si ce qui l'intéressait n'était pas la danse, mais quelque chose d'autre, de plus important, de sensationnel et de secret. Le côté adulte de la jeune fille réveilla en lui un réflexe ancien : sa gorge se noua, comme chez ceux qui voudraient s'exprimer tout en sachant qu'ils ne pourront jamais le faire.

Allongé sur sa couche dure (il dormait sur un vieux canapé recouvert d'un tissu de crins), les yeux ouverts, il contemplait le pâle reflet du clair de lune reflété dans sa chambre par les pavés de la cour. Il pensait à cette planète, là-haut, avec ses montagnes mortes et ses cratères éteints, en sachant que même si elle pouvait s'interposer entre le soleil et la terre et projeter une grande ombre, elle n'avait aucun pouvoir réel. Certes, elle déplaçait la mer, mais ce n'était qu'un vaste mouvement d'aller et retour. On pouvait compter sur la lune et sur son aimable impuissance. Mais quand il revoyait la grande fille et pensait à sa fierté, à sa concentration insistante et à son regard lointain, il prenait peur et cela le ravissait en même temps. Elle était très loin de sa portée, cela allait de soi, mais d'autre part : pourquoi ? Il comptait cent raisons de renoncer à elle, mais en même temps, il était incapable de juguler son rêve. Il se sentait épuisé, à cause de la nouveauté de ces sentiments, entre autres. Comment les gérer, et d'où venaient ces idées, pourquoi était-ce justement elle qu'il voyait et qu'il ne pouvait chasser de son esprit, pourquoi n'était-ce pas l'une des autres qui l'avait séduit, quelles étaient les règles de ce jeu-là, et de toute façon, en existait-il ?

Ce qui l'avait captivé, c'était son port droit, ses épaules régulières, son haut cou. S'il l'avait prise par la taille pour la serrer contre lui, elle aurait été ferme, et même dure. La tête lui tourna et il se hâta de se retourner pour se mettre sur le côté. Un prince, c'était un prince. Il mit la main sur sa bouche comme pour réprimer un cri. Mais pas un son n'en sortit, rien qu'un soupir réprimé, qu'il retenait depuis longtemps peut-être. Avant que l'épuisement ne le terrasse, il pensa qu'il existe des règles pour tout, mais qu'il faut du temps de les apprendre, beaucoup, beaucoup de temps. Peut-être ne les apprenait-on jamais.

6

A l'approche de l'examen du baccalauréat, il fut pris d'une lassitude, due peut-être, en partie, au surcroît des révisions, ou encore à la saison. L'hiver avait été long et la vie en ville lui pesait. Les gens l'aimaient bien, personne n'avait rien à lui reprocher, il avait même des camarades, mais il n'en considérait pas un seul comme un ami. Quand il était dans sa chambrette qui donnait sur la cour, avec ses livres, que la lumière de la lampe brillait sur la vitre et qu'il regardait sa figure s'y refléter vaguement, il réfléchissait à ce qu'est l'amitié et à la façon dont elle s'engage. Peut-être était-il trop exigeant, peut-être qu'en fait, ses rapports avec les autres jeunes gens, qu'il trouvait faciles, étaient ce qu'on appelle l'amitié. Ils se rencontraient, se disaient “salut” et il savait aussi que son voisin, en classe était heureux d'être placé précisément à côté de lui.

Non qu'il le lui ait dit, mais chaque fois qu'ils montaient dans une classe nouvelle, son camarade le suivait comme si c'était évident. Il devait donc s'agir d'une forme d'attirance. Mais Tormod, c'était son nom, n'invitait pas aux confidences. On se serait senti comme un importun ou pour le moins mal venu, ou maladroit en s'y livrant. Ce n'était pas la gaieté qui manquait, pas plus que les sourires et les exclamations éraillées, mais on eût dit que les autres – tout comme lui – plaçaient leurs espoirs partout ailleurs que là où ils étaient, comme si quelque chose de merveilleux, qu'aucun d'entre eux n'était capable de décrire ou dont il aurait eu la clé, les attendait au-delà de l'horizon.

Malgré tout, il regardait avec une certaine envie les camarades qui se promenaient par deux quand ils n'étaient pas devant leur pupitre. Ils se prenaient par l'épaule et se plongeaient dans des discussions, le dos tourné aux autres. La familiarité de leurs échanges était d'un autre genre que celle qu'il avait avec son voisin de classe. Cela l'inquiétait, et il se demandait quelquefois s'il avait quelque chose d'anormal. Il se savait timide. Ils n'avaient pas beaucoup parlé de leurs sentiments et de leurs réflexions, dans sa famille. Pourtant, ils étaient proches les uns des autres, mais ils n'avaient pas besoin de grands discours pour exprimer leur intimité tranquille. Au lycée, c'était différent, et pourtant, on y trouvait aussi – malgré le bruit ou peut-être à cause de lui, – un silence qui, de temps à autre, le paralysait. Il avait le sentiment qu'une partie de ce qu'ils étudiaient dans les livres traitait justement de cela, mais il n'y rattachait ni sa personne, ni sa situation. Les personnages des livres "qu'ils avaient au programme" étaient trop étrangers malgré tout, trop bizarres, trop extrêmes dans leurs pensées et dans leurs actes, pour qu'il puisse faire sérieusement la liaison entre lui et eux et mesurer à leur aune ses propres réactions et réflexions.

Dans cette solitude qui s'installa comme un poids dans sa poitrine, il pensait aussi à la fille altière qu'il avait vue au bal. Elle se dessinait nettement dans sa tête, et pourtant, elle avait tendance à sortir de son souvenir. Elle s'effaçait littéralement en dansant. Quand il s'apercevait de sa disparition, et du fait qu'il l'avait à peine enregistrée, il poussait un soupir qui pendant une seconde, le soulageait de son poids, mais ce poids revenait et lui paraissait encore plus lourd. Il n'avait aucune difficulté à forcer son image à reparaître, mais il ne savait pas vraiment que faire de son rêve ou de l'image qu'il avait d'elle. Cela se terminait toujours par le sentiment qu'il devait faire quelque chose, mais quoi, il l'ignorait. Il ne pouvait tout de même pas se présenter sur le palier de sa porte pour lui dire : "Me voici, on va faire un tour de danse ?"

En même temps, il se rendait compte que c'était justement quand il agissait qu'il se sentait bien. Il n'était pas timide pour deux sous quand il épaulait son fusil ou quand il serrait ses attaches et filait sur ses skis. Il n'avait pas de problèmes non plus avec le temps qu'il faisait. Dès l'instant où les longs nuages filés et ouatés lançaient leurs antennes dans le ciel, il savait qu'il allait neiger ou pleuvoir dans les six heures à venir. Il répétait aussi ce qu'avait dit leur professeur de norvégien sur le livre qu'ils étudiaient sans que sa voix tremble le moins du monde. Comme pour les formules de chimie ou les équations des mathématiques, il suffisait de rester sur la piste et de suivre les consignes données pour s'en tirer très bien. Pas besoin de tout "comprendre" ; ce qu'on vous présentait avec autorité et conviction pouvait fort bien être reproduit et considéré comme la vérité, même si, à part soi, on ne le prenait pas pour une loi ou qu'on ne l'adoptait pas sans réserve.

Malgré tout, ses impressions d'insécurité convergeaient et formaient un courant si fort que de temps à autre, il avait tendance à le renverser ou à l'emporter dans un tourbillon vertigineux. Mais à l'instant même où il se sentait le plus abandonné, ou au bord d'un gouffre, une force se levait en lui, une force de la même nature que celle qu'il éprouvait devant sa cuvette, quand il palpait ses muscles, ses membres et son corps. Il existait, et même plus : le plaisir le submergeait et l'espace d'un éclair, il se voyait immortel.

Au milieu de cette instabilité, il découvrit une zone de confiance. Il se mit à lire les journaux. D'abord, il se risqua à emprunter le journal local de son propriétaire, quatre pages mal imprimées qui donnaient des compte rendus de réunions, les prix des céréales et l'annonce des arrivées et des départs des bateaux. Mais sur la première page, on y trouvait ça et là des notices qui le captivèrent tout à fait et le mirent sur la trace d'une lecture plus sophistiquée : les journaux de Kristiania, qui n'informaient pas uniquement sur ce qui se passait dans le vaste monde, mais qui parlaient aussi de ce qui le grandissait. Ce fut là qu'il tomba sur le nom de Nansen.

Quand il pensait aux exploits accomplis par cet homme, il en tremblait. Ils avaient travaillé, pendant l'heure de physique, sur la machine à électrifier, et bien entendu, il avait saisi les deux électrodes et les avait maintenus jusqu'à ce que ses bras aient fait de tels sauts, sous l'effet du courant, qu'il avait été obligé de les lâcher. Quand il lisait des articles concernant Nansen, il éprouvait la même sensation. Il voulait le retenir pendant que le courant le traversait, mais finalement, le vertige l'obligeait à lâcher le journal et à lever la tête. Il avait découvert que ce luxe qui l'aurait ruiné, les journaux, était accessible gratuitement à la bibliothèque, et quand il se redressait, après s'être baigné dans la lumière aveuglante qui peut être allumée par l'action d'un seul homme, il voyait la salle poussiéreuse et les autres lecteurs, les même fatigues violettes qu'il rencontrait par ailleurs dans la rue, quand ils traînaient lourdement les pieds en rentrant chez eux. Mais cette révélation intérieure ne le quittait pas, et petit à petit, une idée naquit en lui qu'il finit par ressentir comme un commandement. S'il n'avait pas la force de conquérir le monde et de le grandir lui-même, il pouvait servir ceux qui le faisaient. Ainsi gouverna-t-il son propre orgueil, – qu'il ressentait quelquefois comme un péché – en ayant la possibilité de lutter contre le manque d'assurance qui menaçait de le faire sombrer.

Il froissait les pages du journal en les repliant. Là, il était possible de se rapporter à la réalité en éprouvant, en même temps, l'excitation qu'il ressentait vis-à-vis de la littérature sans qu'il la comprenne à fond, et dont il se méfiait pour cette raison. Chaque jour, il y avait du nouveau, chaque jour une terre nouvelle. C'était extraordinaire. Le souffle de l'univers ne passait plus seulement dans ses cheveux mais au-dessus de son cœur, qui tremblait. En esprit, il en voyait la surface, une immensité, dure, mais aussi vivante et élastique, quelque chose que l'on pouvait forcer et conquérir, quelque chose en lui, qu'il possédait, mais avant tout quelque chose là-bas, qu'il devait s'approprier à tout prix, dût-il y laisser sa vie. Il sentait très concrètement qu'il vivait à une grande époque et que ses petits embarras ne comptaient pas. Il comprenait que s'il voulait mériter, il devait s'engager.

Le printemps arriva, et malgré sa familiarité avec les mécanismes saisonniers qui le déclenchaient, le renouveau le prit par surprise. C'était presque un tremblement de terre. Non seulement il voyait les derniers restes de neige tomber presque à vue d'œil dans les profondeurs, mais partout, des pousses émergeaient du sol et de petites explosions crépitaient sur les branches des arbres chaque fois qu'une feuille verte se dépliait ou qu'une fleur de cerisier étalait sa chaste indécence. Étourdi par ses études, il traversa le sentier pour aller jusqu'au torrent qui se rengorgeait en grondant avec arrogance, gonflé de toute cette eau de fonte. Les saxifrages jaillissaient des clôtures ; pour se frayer un chemin, il écarta les branches fleuries qui menaçaient de lui fouetter la figure, et elles se refermèrent derrière lui en faisant des vagues, avec leur pluie de fleurs. C'était comme s'il traversait un tunnel vivant de visions et de parfums.

Au tournant du sentier se dressait un vieux sorbier. Comme il allait contourner cet arbre, un mouvement, sur la droite, attira son attention. Il resta donc immobile, la main appuyée sur le tronc pourri, légèrement humide. Entre deux buissons, sur une couverture, là où brillait l'herbe reverdie, il vit deux corps enlacés. Il ferma les yeux un instant, pour faire disparaître cette vision, peut-être, ou parce qu'il ne la croyait pas réelle. Mais il ne se trompait pas, et il rougit. Le chapeau noir de la jeune fille, rehaussé d'une fleur en tissu jaune piquée dans le ruban qui entourait la calotte, était posé sur l'herbe à côté de la couverture. Elle avait rejeté un bras en arrière et sa main s'ouvrait, détendue. Ses larges épaules droites reposaient fermement sur la couche et son voisin de classe – car c'était lui – se penchait sur elle, levé sur le coude, avec un sourire troublé. Ni l'un ni l'autre ne s'aperçurent de sa présence, le fracas du torrent couvrait tous les bruits, même s'il avait hurlé, ils ne l'auraient pas entendu. A ce qu'il croyait en tout cas, mais pas un son ne sortit de sa bouche. Soudain, il se mit à rire ; la situation n'était pas risible, au contraire, elle était insupportable, mais il sentait que cette scène avait lieu dans un monde minuscule, encadré, isolé comme un tableau vu du dehors et dont il faisait partie en même temps. Autour de lui, la nature grondait, mais en dépit de toute sa force, elle restait une miniature, un tableau de genre. Il existait d'autres espaces, de plus grandes étendues, des sentiments plus puissants, des cieux colossaux, des profondeurs stellaires infinies. Il existait un univers que nul n'avait vu, c'était celui qu'il voulait conquérir. A cet instant même, il le sut, et c'est pourquoi il riait, malgré le mal infini qu'il eut à s'arracher à la vision des deux jeunes gens dans l'herbe, il poursuivit tristement son chemin et descendit jusqu'au torrent. Il resta un moment sur la berge et se sentit soulagé, cependant, il était si secoué qu'il se boucha les oreilles des deux mains et poussa un cri. Un grand cri, mais personne ne l'entendit, pas même lui. Il continua donc sa route un peu plus tard, en ayant l'impression d'être sourd. Cela dura jusqu'à ce qu'il rentre chez lui. Dans l'entrée, une lettre l'attendait, son hôte l'observait pendant qu'il la lisait.

– Eh bien, vous voulez vous engager dans l'armée ?

– Oui.

– Alors, vous savez ce que vous avez à faire.

– Oui.

– Ce n'est déjà pas rien.

– Oui.

Quelqu'un ferraillait avec un seau dans la cour, le son s'amplifia quand il ouvrit la porte de sa chambre. Alors, il ferma la porte derrière lui. On avait décidé en son nom, pris une résolution. C'était tout à fait naturel. Ainsi était la loi. Cela lui convenait tout à fait. Ses épaules tombèrent. Il n'y avait aucune raison de s'énerver, son énergie pouvait servir une meilleure cause.

7

Dès la période d'instruction, il se sentit chez lui. Son passage de la vie civile à la vie militaire se fit sans transition spéciale. C'était plutôt comme un retour à la maison. Son corps obéissait aux ordres (aux aboiements) et réagissait en devenant plus fort et encore plus souple qu'auparavant. La monotonie des exercices ne l'ennuyait pas, elle devint plutôt obsédante, comme une transe où se relayaient, sur un rythme donné, certains mots et impressions qui l'enveloppaient d'une membrane fortement sécurisante. Il ne connaissait pas l'expression "être né coiffé", mais ce fut cet avantage-là que l'armée lui offrit pendant les premiers mois.

Cela ne le gênait pas non plus d'être devenu un numéro. On eût dit que l'anonymat le rendait plus fort. Les "numéros" qui l'entouraient ne représentaient pas autant de défis que ses camarades du lycée et il connaissait leurs stratégies, car c'était celles du lycée. Plus grossières, plus paysannes, simplement, ce qui accentuait son sentiment d'être rentré chez lui. La plupart de ceux qui portaient l'uniforme venaient de la campagne et quand ils se baignaient ou nageaient, nus dans le torrent glacial, il se reconnaissait en eux, dans une version plus gauche et mal dégrossie. Ils le laissaient en paix et le baptisèrent très vite "le professeur", parce qu'ils le voyaient toujours en train de lire.

Ce vice l'avait suivi et devint peu à peu une passion qui l'entraînait à la limite du vertige. Il s'asseyait à la table de la chambrée et se penchait sur les journaux, qu'on lui envoyait à présent, en tortillant et en retortillant entre son pouce et son index une mèche de ses cheveux blonds. Ses yeux devenaient brillants et secs, à force de dévorer les unes après les autres les colonnes des quotidiens, mais il n'en avait jamais assez. Ce fut à cette époque que fut publié le récit de l'expédition effectuée sur la banquise groenlandaise, et aucun journal digne de ce nom n'omit de présenter à ses lecteurs de longs compte rendus, des photos et des dessins des exploits de ces hommes, et notamment de leur chef, le docteur Nansen. Après avoir quitté le navire d'approvisionnement avant l'accostage, l'équipage du petit bateau s'était aperçu qu'il ne se trouvait pas à l'endroit prévu pour le départ de l'expédition. Les hommes s'étaient donc mis à ramer et n'avaient débarqué que quatre cents kilomètres plus au sud. En lisant cela, il sentait ses muscles se tendre et ses cheveux se dresser sur sa nuque comme la crinière d'un taureau enragé. Aurait-il pu s'en tirer ? Aurait-il été capable de ramer sur quatre cents kilomètres, au milieu des masses de glace flottante, côte à côte avec ses camarades ? Oui, sans aucun doute, et à partir du moment où ils étaient sur la glace, rien de plus facile. Et pourtant… Un instant, il se redressa en repoussant sa mèche de cheveux en arrière : ils avaient réussi grâce à leur chef, s'ils avaient traversé la banquise et atteint Godthåb, c'était uniquement parce qu'il leur remontait le moral, pouvait-on douter de cela ?

Il se pencha de nouveau sur le journal : un dessin montrait les membres de l'expédition et un seul autre son chef. C'était un homme fort, de haute taille apparemment, aux yeux vifs, enfoncés, qui vous fixaient résolument au-dessus de sa barbe touffue. C'était cet homme qui, étudiant, avait traversé les montagnes qui séparaient Kristiania de Bergen et porté ses skis sur son dos quand il n'y avait pas assez de neige, pour faire le reste du chemin à pied. Il avait même choisi l'itinéraire le plus difficile, pas question de facilité pour cet homme-là, et s'il devait prendre le chemin du retour dès le lendemain, il repassait par la montagne, alors qu'il aurait pu si aisément s'asseoir dans un compartiment chauffé et faire toute la route par le train. Un trajet de 250 km, mais en terrain connu malgré tout, tandis qu'au Groenland, personne n'y était allé avant ces hommes et cet homme. Un Groenlandais, peut-être, mais jamais un Blanc, il était donc possible de faire ce qu'on voulait, même l'impossible, même après avoir ramé nuit et jour sur quatre cents kilomètres en pleine mer, entouré par les glaces, bien sûr que c'était possible. Il en serait capable lui aussi, ou du moins, il croyait savoir qu'il le serait.

Par instants, très brièvement, il prenait conscience de ce qu'il avait vécu jusque-là. Il lui arrivait de souffrir en pensant à sa famille, là-bas, mais étrangement, quand il se les remémorait, la morte lui apparaissait toujours avec les vivants et plus vivante qu'eux. Sa mère lui avait toujours manqué, mais il avait refoulé son image, son odeur, le sentiment de sa présence, en se châtiant inconsciemment, comme si le fait qu'elle lui manque et qu'il la regrette était un péché et même un manque de virilité. Maintenant qu'il se concentrait davantage sur son avenir, elle lui apparaissait de plus en plus souvent. C'était difficile à comprendre, mais il l'acceptait avec un certain soulagement, aucun étranger ne pouvait voir ce qui l'occupait. Il n'éprouvait pas le besoin de partager sa mère avec quiconque, en revanche il parlait volontiers avec les numéros des exploits de ces hommes sur la glace, et là, il s'adressait à un public attentif, car tout bornés et paysans qu'ils fussent, ils portaient un grand intérêt aux victoires de la nation et aux exploits de leurs compatriotes, là-bas. Peut-être rêvaient-ils tous d'y participer, mais aucun avec plus de passion que lui, il découvrit même, à un moment donné, qu'il avait pris une décision. Il entendit à plusieurs reprises l'écho de ses paroles, quand il ne dormait pas. Il les repoussait, mais elles revenaient sans cesse : "Je veux en être, je veux en être, j'en suis !"

Ses rêves l'influençaient à tel point que parfois, il avait une crise de vertige. Cela se produisait rarement sur le champ de manœuvres et sur le champ de tir, où il était totalement concentré (ou totalement inconscient), mais quand il se rendait au magasin d'approvisionnement et à la chambrée où il avait ses journaux, à l'aller et au retour. Parfois, c'était comme si le plancher craquait sous lui et il flottait. Etait-il déjà sur la glace, marchait-il sur l'eau ? L'image de sa mère masquait généralement les autres, et parfois, quand il la voyait de dos et qu'elle se retournait, elle devenait tout à coup la grande fille aux larges épaules, ce qui le troublait, il se forçait à lever les yeux ou cherchait l'échappatoire la plus efficace : la vision de l'étudiant à barbe blonde, en train de traverser à ski une montagne récalcitrante. Un remède, aussi fort qu'un médicament ; cela claquait tout simplement dans son crâne quand il pensait à Nansen, à ce dont il était capable, à ce qu'il avait réalisé et à ce qu'on pouvait faire.

Ce fut pendant un de ces instants de vertige, où il se soutenait en s'appuyant contre le montant de la porte, que le sergent s'adressa à lui.

– 338 Johansen !

Se forçant à sortir de son rêve, il se redressa.

– Oui, sergent.

– Voulez-vous me suivre ?

– Oui, sergent.

Côte à côte, ils suivirent le couloir au pas pour rejoindre le minuscule bureau du sergent. Le sergent s'assit à sa table et posa son calot à côté de lui.

– Vous pouvez vous mettre au repos.

– Merci, sergent.

Ils se détendirent tous les deux, mais le sergent restait très raide.

– Nous vous avons observé, 338 Johansen.

Il y eut un petite pause pendant laquelle le sergent leva les yeux pour l'examiner.

– L'armée vous a observé, dit-il alors, d'après nous, vous devriez avoir un avenir, ici. Qu'en dites-vous ?

Son visage s'empourpra, comme s'il se couvrait d'un voile léger. De fierté et de trouble à la fois.

Le sergent se lissa la barbe.

– Ce n'est pas demain que vous serez général... si c'est ce que vous croyez.

Il n'y avait rien à répliquer. Des bruits leur parvenaient de la chambrée. Quelqu'un riait. Dehors, une volée de moineaux pépiaient. C'était l'automne.

Le sergent se leva et fit le va-et-vient que permettait l'exiguïté de la pièce, les mains dans le dos. Puis il se posta derrière lui.

– Vous avez fait des études, Johansen, le lycée, que sais-je. Ce n'est pas un avantage en soi.

Une main se posa sur son épaule.

Mais d'autre part... si vous décidez d'être officier... On a entendu parler de généraux qui étaient aussi des universitaires. Ce n'est pas le terme employé ?

– Si, sergent.

La pression se fit plus forte sur son épaule. Puis le sergent le prit par les deux épaules.

– Excellent physique, 338, excellent physique. Je vous ai recommandé pour une promotion. Hein, qu'en dites-vous ?

Il lui pompait les épaules en cadence.

– Je...

– Vous ne dites sûrement pas non.

Les mains le firent pivoter, si bien qu'il se trouvait maintenant face à face avec son supérieur, qui avait une tête de moins que lui.

– Je considère ça comme une affaire personnelle, 338. C'est moi qui vous ai créé, pour ainsi dire.

La phrase sonnait creux, mais de nouveau, il eut le sentiment d'un jeu. Cela faisait partie du jeu, ils en faisaient partie tous les deux. Cela ne lui déplaisait pas en fait, cela le titillait d'y participer, dans une certaine mesure. Cette situation était un aboutissement attendu depuis le début, en un sens. Ils le savaient tous les deux. Mais quelque chose s'était interposé, quelque chose d'inattendu et d'imprévisible. Néanmoins, il ne pouvait pas refuser de participer à ce jeu.

– Bien, sergent, dit-il.

Soudain, son supérieur devint méthodique, il retourna à son bureau, derrière lequel il resta debout.

– Votre nomination aura lieu lundi, caporal Johansen. Vous pouvez aller chercher votre galon au magasin du corps de troupe. Et vous le coudrez vous-même, je pense ?

– Oui, sergent.

– On peut prendre une bière ensemble lundi ? Je m'appelle Jochum.

Le sergent avait prononcé ces mots platement, mais ce qui l'avait empourpré au début lui remonta à la figure. Cela bourdonnait dans la petite pièce, comme si on y avait libéré un essaim de mouches. Des réflexions et des sentiments contradictoires zigzaguaient dans sa tête. Il ne savait que dire. Par contre, il savait très précisément que ce qu'on venait d'ébaucher ici pour lui n'était pas ce qu'il voulait. Cette pièce était trop petite, tout simplement, il se sentait comprimé de tous les côtés, et quand il leva les yeux pour regarder le champ de manœuvres poussièreux couvert de gravier, même cet espace-là lui parut plus petit que d'habitude, et le circuit sur lequel ils couraient, leur paquetage au dos et le fusil à l'épaule, se rétrécit jusqu'à en être ridicule. Mais en même temps, il était fier de lui, ce dont il se savait capable l'avait fait avancer, alors, en sentant son échauffement, il comprit que des sentiments se mêlaient à cette situation, des sentiments qui dépassaient les limites qu'il concevait, en ce moment précis où il ne savait ni quelle contenance adopter ni quelle était la vraie nature de ce qu'il éprouvait.

Ce qu'il avait ressenti pour la grande fille aux cheveux noirs ne pouvait se reporter sur cet homme debout derrière son bureau. Mais la reconnaissance troublée qui lui soulevait la poitrine tendait de la même manière vers l'inaccessible. Il aurait voulu accepter et donner, il aurait voulu exprimer sa reconnaissance et son admiration, sans se rendre compte que cette admiration l'incluait lui-même. Il eut envie de rire et se laissa aller à le faire.

– Vous riez ? dit le sergent sur un ton pointu.

– Oui, sergent.

– Par exemple ! Vous êtes donc content ?

– Oui.

Impossible de dire pourquoi il riait ou s'il était content pour de bon. Mais il se sentait transporté, comme quelqu'un qui possède un atout secret. Il n'avait même pas besoin de les avoir tous pour gagner, il lui suffirait de jouer correctement ses cartes. Impossible d'expliquer cela à quelqu'un qui s'appelait Jochum, il n'en avait d'ailleurs pas envie. Cela lui suffisait bien, en ce moment, de jouer jusqu'à la fin le jeu qu'ils avaient en train. Il ne serait pas général, mais quand le bon moment arriverait, ce serait très bien d'être caporal. Caporal corporellement. N'ayant pas coutume de jongler ainsi avec les mots, il se délecta à le faire. Le corporal Hjalmar. Un instant, il dut se maîtriser pour ne pas éclater. Ses traits se raidirent. Il voulut le remercier.

– Merci, sergent, dit-il. Sa phrase rendit un son maladroit et idiot. Le sergent le regarda d'un œil courroucé.

– On vous donnera un bâton, Johansen. On vous donnera un bâton en même temps que le galon. Ce bâton n'est pas une canne, vous le savez ?

– Oui sergent.

– C'est pour taper qu'on s'en sert. Un bâton de caporal sert à frapper les soldats. Si c'est nécessaire.

De nouveau, il éprouva ce sentiment de rétrécissement, et son furieux besoin d'élargissement. Le sergent le regardait comme s'il lui adressait une prière, l'atmosphère de la pièce était épaisse comme de la gelée. Son supérieur prit son calot et le mit sur sa tête, puis il se leva.

– Rompez, cria-t-il. Un nuage de salive sortit de sa bouche comme une bruine.

Il claqua des talons et fit volte-face. Puis il sortit de la pièce au pas. L'idée de la bière qu'il devrait bientôt boire avec Jochum le tourmentait. Puis il se souvint de la pression affectueuse des mains sur ses épaules et pensa que le sergent était aussi un être humain, et que même s'ils n'étaient pas du même niveau sur le plan professionnel, il était lui-même promu, malgré tout, et que le jeu allait continuer. Encore quelque temps. Peut-être ne s'arrêterait-il jamais, pensa-t-il, soudain déprimé. Peut-être que tout était un jeu, qu'en savait-il ?

8

L'univers au sein duquel il évoluait était petit, mais le monde, autour de lui, semblait infini et ne cessait de s'agrandir. Beaucoup de taches blanches subsistaient sur la carte, au sud comme au nord, des espaces inexplorés, mais d'un autre côté, on allait les trouver et les parcourir, les cartographier et les initier à la civilisation, cela ne faisait aucun doute. Ce n'était pas une mission de piètre importance que de contribuer à élargir le monde, – tout en le rapetissant ! Quand il pensait aux découvertes les plus récentes, cela l'enivrait : de la lumière en appuyant sur un bouton, des conversations à des distances infinies transmises par un fil ! Mais il s'attachait d'abord à l'idée de ce que chaque individu pouvait faire pour conquérir l'impénétrable. Sans sa flotte et ses hommes, l'Angleterre n'aurait pas pu créer son empire. Mais c'était un journaliste, Stanley, un Américain, qui avait traversé la jungle et trouvé, envers et contre tout, le docteur Livingstone disparu, un homme seul contre l'inconnu, une âme indomptable qui avait fait face à des épreuves qui, pour d'autres, eussent été insurmontables. Et il avait vaincu !

Il ne parvenait pas à se défaire de l'idée de la rencontre de ces deux hommes, il la voyait littéralement devant lui : Stanley, transpirant, miné par la malaria, sortant du fourré avec ses porteurs, qui entre dans le kraal et aperçoit tout à coup l'homme amaigri, mais debout, au milieu des enfants noirs, qui se dit : "ce doit être lui", et qui s'avance, le salue en prononçant la phrase célèbre, qui lui est confirmée. Aucun danger, aucun épuisement, aucun abattement, aucune fièvre, aucun désespoir ne pouvaient se mesurer avec l'ampleur de ce triomphe, et le sentiment qu'avaient partagé ces deux hommes devait, en cet instant, ressembler à de l'amour, il ne trouvait pas d'autre mot.

L'idée des possibilités qu'offrait le monde lui coupait le souffle et il s'étonnait, en regardant le champ de manœuvres ou en courant à côté de ses camarades qu'au fond, ils ne partagent pas tous ce sentiment. Certes, ils obéissaient à tous ses ordres, tombaient et sautaient sur commande, mettaient la bayonnette au canon et l'enlevaient quand on le leur ordonnait, même quand ils mangeaient, c'était presque en cadence. Tout cela faisait partie des exercices qui renforçaient la discipline et la forme physique, mais qui visaient aussi à former des individus. Il lui semblait que lorsqu'ils arrivaient au bout du chemin et qu'on les libérait, ils étaient plus libres qu'avant, avaient plus de pouvoir sur eux-mêmes, qu'ils se contrôlaient mieux, c'était d'ailleurs ainsi qu'il vivait sa promotion. Il était monté d'un cran, s'était rapproché de lui-même. Il avait grandi.

Pourtant, il avait du mal à ne pas se sentir floué. Certes, il avait surmonté l'épreuve du lycée, certes, il était caporal, avec la perspective d'entrer à l'école des sergents. Mais il ne se voyait pas dans le rôle de Jochum, cela ne lui suffisait pas qu'on lui donne un bâton, une chaise et un bureau dans un cagibi. Même un grade d'officier, même s'il devenait lieutenant ou capitaine, ses conditions de vie ne changeraient pas notoirement. Il y aurait toujours une chaise et un bureau, il resterait cet homme qui ferait avancer des jeunes gens en les injuriant grossièrement ou en ferait des caporaux ou n'importe quoi d'autre. Cela n'agrandirait pas le monde, c'était plutôt le contraire. Il résolut donc de profiter au maximum de ce que l'armée pouvait lui offrir et puis... eh bien, il ne savait pas. Et il ne le savait absolument pas le jour où, ayant reçu son galon, il accompagna le sergent à la brasserie d'Akersgaten pour célébrer sa promotion.

La pièce où ils entrèrent était une salle affligeante qui puait la bière tiède et le tabac. Deux ou trois affiches publicitaires, çà et là, jaunissaient tristement à la clarté de la lampe et debout derrière le comptoir, le patron se reposait sur ses gros bras, la tête dans les mains, en se tordant mélancoliquement la moustache. On leur servit leurs canettes et ils s'assirent à une table. Au début, ni l'un ni l'autre ne dirent mot, seules leurs ombres s'agitaient sur le mur, à la lueur des lampes à gaz. Après qu'ils aient bu deux bières chacun, le sergent se pencha vers lui et lui dit en clignant des yeux :

– On ne pourrait pas se tutoyer ?

– Sii...

– Je t'ai dit que je m'appelais Jochum.

– Hjalmar, répondit-il.

Ils soulevèrent leur bouteille et trinquèrent. Puis ils burent, leur pomme d'Adam se levait et se baissait en cadence.

– Aah...

Le sergent s'essuya la barbe du dos de la main.

– Dis-donc... lycéen, dit-il, comment c'est d'en savoir si long ?

– Je n'en sais pas spécialement long.

– Non, mais tu as quand même appris quelque chose ?
– Ouii…
– Sinon, tu ne serais pas arrivé aussi loin ?
Il n'y avait rien à répondre. Il ne savait pas que dire, en tout cas. Il sentit que le bâton du sergent lui touchait une jambe, sous la table.
– Mais on t'a bien raconté l'histoire des fleurs et des abeilles, hein ?
Le sergent ricana et il vit une salive noire briller dans sa bouche.
– Les fleurs et les abeilles…
Son supérieur baissa la voix et se pencha vers lui, les coudes sur la table :
– Je fais un rêve, dit-il. Tu ne rêves jamais ?
– Si.
– Ça serait bien, si on pouvait s'envoler. Ça serait bien de s'envoler.
Les journaux avaient parlé de l'ingénieur suédois qui voulait aller au Pôle Nord en ballon. Mais ce n'était pas ça. Le sergent ne lisait pas les journaux, il s'en moquait, peut-être que par-dessus le marché, il méprisait ceux qui les lisaient. Le bâton continuait à monter et descendre le long de sa cuisse.
Le sergent se redressa.
– On peut s'envoler, dit-il, si on veut, on peut. Il suffit de se laisser aller, tu savais ça, Hjalmar ?
La pression du bâton avait disparu.
– Les fleurs et les abeilles, quelle connerie, non, c'est autre chose, tu sais, c'est tout autre chose qu'il faut faire…
Il hocha la tête et eut une expression goguenarde, comme si sa figure fondait. Ses cheveux se collaient un peu sur son crâne, son calot était posé sur la table, à côté de celui de Hjalmar.
– On peut nous apporter encore deux bières ? cria-t-il.

A la fin, ils ne savaient plus combien ils en avaient bues. Le sergent parlait de plus en plus fort et d'une voix plus stridente. Autour d'eux, les autres hommes changeaient de fesse devant leur bouteille. L'étouffement le menaçait, la salle puait. Dans la rue, le caporal soutint le sergent et quand ils tournèrent au coin de la rue, devant la clôture peinte en blanc d'un jardin plongé dans le noir, son supérieur s'arrêta.

– Pisser, dit-il. J'ai besoin de pisser.

Une tache noire s'élargissait sur son pantalon fuseau, descendait sur sa jambe gauche.

– Aide-moi. Sors-la-moi.

Il y eut une hésitation.

– Tu ne peux pas le faire tout seul… ?

– Tu as entendu ce que je t'ai dit. Elle veut sortir. Sors-la-moi. Je pisse dans mon pantalon.

Ce n'était pas possible. Il ne savait que faire.

– C'est un ordre. Tu ne comprends pas un ordre ? Déboutonne-moi !

La tache s'élargissait sur le pantalon. Maladroitement, il ouvrit la braguette.

– Ah, fit le sergent, aahhh…

La vapeur montait du jet qui durait, durait.

– Comme ça. Comme ça. Serre-la-moi. Serre, serre. Serre en douceur.

Lentement, cet individu se retourna, l'arrosage s'arrêta. Tous les bruits s'étaient éteints, il reconnaissait cette impression de soie chaude dans sa main. L'espace d'un instant, il ne sut pas qui des deux il touchait, lui ou l'autre. Avec un soupir, il se libéra.

– Ha. Lycéen. Les fleurs et les abeilles. Quelle connerie.

Ses mains s'agitaient comme s'il tricotait pendant qu'il se reboutonnait. L'odeur de l'urine envahissait tout.

– Laisse tomber ce qui ne peut pas tenir debout.

Le sergent poussa son calot à sa place et prit son bâton sous le bras. Ce petit homme paraissait plus petit quand il traînait les pieds dans l'obscurité mouvante. S'il avait voulu lui botter les fesses, il aurait fallu viser bas. Mais à quoi bon ? Il ne s'était rien passé, et ce qui s'était passé n'était pas uniquement désagréable. Peut-être s'agissait-il simplement d'un rêve, ou d'une hallucination d'ivrogne. Son courroux devant cet attentat à la pudeur avait aussi quelque chose de guilleret, ou d'égrillard. La distinction était difficile à faire, surtout quand il pensait à quel point il était ivre lui-même. Il avait de la bière jusqu'à la luette. Tout en regardant l'autre disparaître, il saisit des deux mains les barreaux de la clôture et vomit au milieu des plate-bandes.

Quand il fut dégrisé, la décision s'imposa à lui avec l'évidence naturelle des apparitions. A ce moment de l'hiver, les rapports concernant la grande expédition vers le Pôle Nord et la construction du navire “Fram” prenaient de plus en plus de place dans les journaux. Aucun doute : il voulait en être. Il ne savait pas très bien comment il y parviendrait, certes, mais avec une assurance inconnue jusque-là, il sentait que cela marcherait. Il n'imaginait rien de précis, mais il voyait en même temps ce qui se passait sous son nez. Anonymes auparavant, les hommes de sa compagnie étaient pratiquement devenus transparents, ou comme qui dirait invisibles. Et le sergent ? Existait-il, tout compte fait ? Ou n'était-ce qu'une ombre, ou la projection comique de tous ses autres supérieurs ? Le sergent-chef, l'adjudant, l'adjudant-chef, le sous-lieutenant, le lieutenant, le capitaine, le commandant, le colonel, le lieutenant colonel, le général ? On eût dit que tous ensemble, ils poussaient le sergent dans un coin où il rétrécissait de plus en plus, comme les protagonistes d'un rêve, au passage entre le sommeil et l'éveil. Existait-il réellement ? Pas du tout comparé aux hommes que l'on réunissait et que l'on sélectionnait pour la grande expédition. Ceux-là, on eût dit qu'ils grandissaient de par la concentration et la pression que chacun savait qu'il subirait. Comme le "Fram", ce navire qui allait être capable, par sa construction, de résister aux pressions de la banquise et de se soulever progressivement au-dessus de cette terre vivante et gelée, pour briller, de toute sa puissance et sa force intrinsèque, comme un marron mûr au soleil, une noix que personne ne pourrait briser.

Avant de se rendre réellement compte ce qu'il faisait, et avant d'avoir la moindre idée de la possibilité qu'il aurait de prendre part à l'expédition, il avait donné sa démission. Pendant plusieurs jours, il vit qu'elle restait sur le bureau du sergent avant que ce dernier ne l'appelle. Pendant qu'il la rédigeait, il avait vaguement eu l'impression que son acte renfermait aussi une sorte de vengeance, mais il ne s'était pas arrêté à cette idée, qu'il avait rejetée comme ridicule ou enfantine. Tout ce que l'armée lui avait appris le poussait à avancer, tout.

– Qu'est-ce que c'est que cette hésitation, 338 Johansen ?

Il était au garde-à-vous devant le sergent, les mains sur la couture du pantalon.

– Vous n'avez vraiment rien compris du tout ?

Le sergent faisait rouler son bâton à droite et à gauche sous la paume de sa main droite.

– Vous voulez vraiment sérieusement démissionner ?

Son supérieur se pencha en avant.

– Où est votre bâton ?

– Je l'ai posé, monsieur le Sergent.

– Posé ? Vous ne savez pas que ce bâton est votre autorité, que c'est un symbole ?

– Si.

– Et vous jetez tout aux orties... juste comme ça...

En faisant le geste de balayer la table, le sergent faillit faire tomber son calot, mais il le rattrapa.

– Et puis quoi ?
– Et puis quoi, monsieur le sergent ?
– Qu'est-ce que vous vous imaginez ? Vous croyez qu'on peut quitter l'armée comme ça et se débrouiller sans elle ? Vous le croyez vraiment ?
Le sergent était devenu éloquent.
– Vous jetez ce bâton sans savoir que c'est de ça qu'ils rêvent tous, et que beaucoup donneraient leur vie pour arriver à l'avoir ? Ce bâton, le bâton dans la main, la baguette qui montre qui on est, qu'on est un homme, qu'on a du pouvoir, qu'on décide et qu'on peut faire obéir les autres. Ce bâton, vous le jetez aux orties, – juste comme ça…
Sur le montant de la fenêtre, une mouche d'hiver luttait contre la mort en bourdonnant spasmodiquement pendant une seconde.
– Bien, bien, dit le sergent, mais vous pourrez revenir. Vous pourrez revenir, n'est-ce pas.
Il leva la tête :
– Et ça ne m'étonnerait pas que ce soit à genoux. Tout en bas, sur les genoux -.
Il ramassa les papiers de sa main droite et les lui tendit :
– Si j'étais toi, Hjalmar, je froisserais ces papiers et je me torcherais le cul avec. Ils ne valent pas plus que ça.
– Bien, sergent.
Il y eut une pause. Puis son supérieur cria, d'une voix beaucoup trop stridente :
– Rompez !
Incapable de se maîtriser, il sourit et tourna les talons. Avant d'ouvrir la porte et de sortir, il vit son ombre reflétée par la neige de la cour. Mais une fois dans le couloir, il continua à marcher au pas, comme s'il allait continuer à marcher fièrement pour l'éternité, ou comme s'il avait découvert comment on forge son propre bonheur.

9

La première période qui suivit sa démission fut difficile et il sentit souvent qu'il avait agi inconsidérément. Il repensait plus souvent qu'auparavant à ce qu'il avait abandonné. Il ne pensait pas uniquement à ses camarades de recrutement (qui, certes, n'avaient pas été autre chose ni davantage pour lui) et au sergent, mais aussi au lycée et à sa famille, là-bas. Quelquefois, il ne comprenait absolument pas comment il avait pu aussi facilement, et sans vraiment y réfléchir sérieusement, abandonner le chemin sûr qui s'ouvrait devant lui. Souvent, il voyait son père, avec sa lanterne, partir dans le noir et rentrer à la maison, toujours sur le même rythme, sûr comme un nageur dans une eau familière, oscillant légèrement, mais en maintenant toujours le cap. Cette sécurité, il la fuyait et la regrettait à la fois, et dans la situation incertaine où il se trouvait à présent, l'essentiel de son passé semblait être un roc solide et inébranlable sur lequel il se tenait debout, mais qui maintenant vacillait sous ses pieds, quelque peine qu'il se donnât pour rester d'aplomb.

Peut-être était-ce aussi dû à la faim qui le tenaillait. Les quelques sous qu'on lui devait ne l'avaient pas mené loin et comme il avait été obligé de quitter les lieux et de trouver à se loger dans la capitale pour être plus près de la réalisation de son rêve, il vivait à proprement parler de la charité publique, c'est-à-dire de vieux gâteaux et d'une saucisse qu'il se payait avec ses quelques sous chez le boucher. Quand il s'asseyait dans son taudis qui donnait sur une autre arrière-cour, et qu'il écoutait le pépiement grinçant des moineaux en regardant les miettes éparpillées sur le journal, devant lui, il fermait les yeux et rêvait. Il faisait un bon bout du chemin qui descendait au torrent et prenait même le tournant du sentier, mais quand il voyait ce qu'il voyait, il agissait tout autrement que jadis. D'un bond, il franchissait la clôture, prenait son camarade de classe par les épaules et le faisait basculer, si violemment que le jeune homme disparaissait de la scène, tout simplement, et qu'elle seule y restait. Ses cheveux noirs étaient en désordre et le devant de son corsage un peu défait. Mais le chapeau et sa fleur jaune n'avaient pas bougé, elle avait la main ouverte derrière la tête et les yeux ouverts et profonds. Il se penchait sur elle et ceignait les larges épaules en sentant en même temps qu'il prenait les siennes en ressentant une double tendresse si forte qu'il lui fallait ouvrir les yeux pendant une seconde. Mais même si ce qu'il voyait était triste, cela n'avait pas d'importane, il retrouvait vite son hallucination, à laquelle se mêlaient d'autres, à la fois le sergent et ses camarades dans le soleil crépitant et l'eau tombant en cascade sur les corps nus. A la fin, il se retrouvait avec la soie ardente entre les mains et tandis qu'elle disparaissait dans la prairie, avec son dos fier, il voyait le soleil, la lune et les planètes, et ce n'était pas avant de revoir nettement son taudis, dans toute sa grisaille teigneuse, qu'il entendait ses propres grognements.

Son orgueil lui interdisait de se rendre plus d'une fois par jour au bureau d'embauche. Il avait déjà essuyé tant de refus qu'il lui semblait que Kristiania était une ville où tous les jeunes gens ne rêvaient que d'une chose : d'aller au Pôle Nord avec Nansen sur le "Fram" ! Ce qu'il devait faire de lui en attendant, il n'en avait pas une idée claire. Deux heures par jour, il était à la bibliothèque pour approfondir ses connaissance en météorologie, en astronomie et en navigation, mais il était souvent inattentif – à cause de la faim, probablement – et il avait aussi l'impression que de temps en temps, les autres lecteurs le regardaient du coin de l'œil sans aménité, comme s'il n'était pas à sa place à cet endroit-là ou comme s'il sentait mauvais.

La plupart du temps, il errait dans les rues, mais quand il comprit enfin (après avoir essuyé un quinzième refus) que ses chances pour se joindre à l'expédition se réduisaient de plus en plus, pour ne pas dire à néant, il fut pris de désespoir et comprit qu'il devait faire quelque chose d'extraordinaire s'il ne voulait pas devenir fou ou succomber. Il ne pouvait pas retourner à l'armée, refusant d'y arriver en pliant l'échine et l'idée de rentrer chez lui dans l'état où il était le rendait malade.

Son chemin le conduisait, par ailleurs, dans la rue principale, où il avait reconnu plusieurs fois des personnages dont il avait vu le nom et les traits dans le journal ou dans un des périodiques illustrés. Il remarqua qu'ils marchaient tous comme s'ils étaient à la fois présents et absents. Leur regard lointain se concentrait à l'instant où approchait une personne qui méritait un salut. Suivait alors, à de rares occasions, un hochement de tête et un coup de chapeau. Mais jamais un sourire. Lui non plus, du reste, n'éprouvait le besoin ni de rire, ni de sourire, il trouvait que le sérieux qui régnait était naturel et important et parfaitement adapté à son époque, dont il avait de longue date reconnu cette grandeur à laquelle il aspirait à participer.

Quand il passait devant le grand café du coin, en face du théâtre, il ralentissait sa marche et scrutait, à travers les grands miroirs, la salle où d'autres visages connus flottaient dans la fumée du tabac, la vapeur des consommations et des vêtements trempés de pluie. Il y voyait tous les jours un homme aux cheveux blancs, portant des favoris, un pince-nez et un chapeau haut de forme, qui paraissait plus sérieux que tous les autres, et même en colère. C'était un poète revenu au pays qui lui aussi avait repoussé les limites du monde et parcouru des contrées inconnues. Des contrées situées dans l'âme humaine, ce qui expliquait peut-être son air si furieux, mais tout cela se passait dans des livres et des pièces de théâtre, et même s'il était impressionné, cela lui restait trop étranger, malgré tout, pour susciter chez lui autre chose que du respect, non de la passion.

Un jour, un carrosse s'arrêta devant l'entrée du café et un monsieur en sortit. Un homme grand, blond, à la grosse tête et au large menton, dont la moustache cachait la lèvre supérieure et descendait un peu sur la commissure des lèvres. Il avait un grand nez droit et un regard direct, intense et résolu. Aucun doute, ce devait être le docteur Nansen, alors, à cet instant, sa passion l'emporta et transforma tout, ce fut comme dans son rêve : d'un bond, il franchit la barrière !

Il ne fit pas basculer le grand homme, il lui barra la route et ôta la casquette qu'il portait à la place de son calot militaire.

– Docteur Nansen ?

Le grand homme s'arrêta un instant pour le regarder d'un air sceptique. Puis il voulut avancer. Mais cette fois, ce fut comme un cri, ou comme un appel au secours :

– Docteur Nansen !

Balbutiant, incohérent, il réussit à lui dire son nom, l'âge qu'il avait et ce qu'il voulait. Dans un tourbillon. Soudain, il se mit à pleuvoir à verse et du même pas, les deux hommes se réfugièrent sous la marquise du café.

– Il faut vous adresser au bureau. J'ai une réunion ici et je ne peux rien décider. Je ne sais même pas ce que vous savez faire…

La pluie dégouttait de son gibus.

– Tout, s'écria-t-il, tout !

On se serait cru à l'opéra et pendant une seconde, un éclair d'amusement parut dans le regard du savant, puis il redevint sérieux.

– Je ne peux pas discuter mon expédition sous la pluie dans l'avenue Karl Johan, avec un jeune inconnu qui prétend "tout savoir faire". Mais si vous savez faire quelque chose, essayez encore une fois. J'ai appris aujourd'hui, par hasard, que le navire manquait d'un soutier. Vous savez pelleter le charbon ?

Trop excité sur le moment, il ne fut capable que de répéter ce mot, il se borna donc à dire : "charbon, charbon, charbon…". Au même moment, la porte du café s'ouvrit pour laisser passer le petit homme au chapeau haut de forme et au regard acerbe, derrière ses lunettes. Le docteur Nansen fit un pas en arrière et son attention se concentra totalement sur le nain. Puis, il donna un coup de chapeau, et s'inclina militairement en claquant des talons.

– Professeur, dit-il.

L'averse, qui redoublait, faisait des taches noires sur les dalles. Un moment plus tard, l'une et l'autre de ces deux célébrités avaient disparu. Mais quelque chose subsistait : une phosphorescence, ou un petit orage électrique qui faisait vibrer l'atmosphère. Lentement, sa paralysie se dissipa et d'un coup, il réalisa que le temps des miracles n'était pas révolu, qu'il suffisait de tirer sur la corde, de la laisser filer, et de recommencer, de recommencer sans relâche, et qu'avec un peu de chance et s'il faisait preuve d'un soupçon de courage civique, quelque chose se produirait. Il s'était passé quelque chose, comme autrefois, le monde ne s'arrêtait pas, le monde était changement en soi, à la fois rêve et réalité, et de temps en temps, on rêvait vraiment tout éveillé. Soudain, il n'eut plus faim – ou ne sentit plus la faim – après avoir esquissé un pas de danse, il fit volte-face et courut en direction du bureau où il entrerait coûte que coûte, qu'il soit ouvert ou fermé, que ce soit aujourd'hui ou demain, il s'en moquait comme d'une guigne, il partirait avec eux, parce qu'il le voulait.

Nul ne sut ni ne se risqua à suggérer que le docteur Nansen avait laissé tomber un mot en sa faveur, mais trois jours plus tard, il se retrouva sur une chaise devant trois hommes sérieux qui l'observaient avec scepticisme. Plus il relatait sa vie, plus leurs mines étaient sérieuses. A la fin, le gros homme du milieu, le capitaine Sverdrup, prit la parole :

– Nous avons examiné vos papiers militaires, pourquoi avez-vous quitté le service ?

– Je voulais partir sur le "Fram".

– Vous aviez le statut de sous-officier, et cela ne vous a pas empêché de sortir du rang ? Est-ce raisonnable ?

– Pas si…

– Si ? Vous parlez aussi beaucoup de météorologie, d'astronomie et de navigation, mais là, nous avons ce qu'il nous faut. C'est d'un soutier que nous avons besoin.

– Je…

– Vous êtes aussi bachelier ?

– Oui.

Le gros homme à la large poitrine regarda autour de lui.

– Je trouve que ce bateau regorge de bacheliers. Nous n'en avons pas assez ?

– Il y va de ma vie…

Il avait murmuré.

– Que dites vous ? Il faut parler plus fort…

– Rien. Je disais simplement que je ferais tout pour accompagner le docteur Nansen à bord du "Fram".

– Vous n'êtes pas le premier à nous le dire.

– J'irai au charbon jour et nuit, avec les mains nues s'il le faut.

– Je ne vous le conseillerais pas, nous ne sortirions même pas du port.

Le silence se fit un instant, le capitaine Sverdrup regarda à sa droite et à sa gauche.

– Patron ?

L'homme de droite haussa les épaules.

– Numéro 1 ?

L'homme de gauche baissa les yeux. Sverdrup s'éclaircit la gorge et se lissa la barbe. Puis il leva les yeux.

– On travaille dur sur un bateau, et dans ce cas précis, il ne s'agit même pas d'un navire ordinaire. Ce n'est pas de l'"Uberschwänglichkeit", mais de l'inverse que nous avons besoin à bord du "Fram".

Le capitaine mit une main sur son genou et se pencha en avant.

– Vos biceps me plaisent, et votre jeunesse, mais il faudra prendre votre courage à deux mains. On vous l'a dit, c'est d'un soutier que nous avons besoin, pas d'un fantasque.

– Je suis prêt à tout.

– C'est possible. Mais si vous voulez qu'on vous embauche, ce sera dans la soute.

Et il en fut ainsi.

Dehors, la pluie tombait, mais sur la côte, dans la ville, le navire grossissait de jour en jour et lorsqu'il fut mis à l'eau, on hissa tous les pavillons, dans le port comme dans la ville. Tous les hommes de l'équipage étaient alignés le long du quai et quand le "Fram" glissa dans l'eau, ils soulevèrent leur béret pour crier hourra.

– Hip hip hip
hourra !
Hip hip
hourra.
Hip
hourra.
Hourra, hourra, hourra !

Nansen fut le premier à monter à bord, suivi de Sverdrup et des autres officiers. Le bateau ne pencha pas d'un pouce pendant qu'ils montaient et il y eut de la musique, mais tandis que les larmes roulaient sur ses joues, c'était une chanson que sa mère lui avait apprise qui le poursuivait, hystérique :

"Une noix de coco
était ballottée sur l'eau
à la merci de la vague..."

Mais la chanson se trompait, il n'y eut aucun tourbillon, pas même une ride à la surface de la mer ni après la mise à l'eau du navire ni quand furent retombées les lames soulevées par la proue. Et quand ils sortiraient du port et partiraient enfin, même la mer se solidifierait autour d'eux et une nuit sans fin tomberait. Mais il y aurait aussi la blancheur d'un bout à l'autre de l'horizon. Là se dévoilerait ce qu'on n'avait encore jamais vu, cette tache blanche qui, désormais, lui appartiendrait aussi. Là, il deviendrait un homme, avec les autres, avec Nansen. A présent, le "Fram" brillait comme un marron mûr jeté dans l'eau. Rien à voir avec une noix de coco, crénom. Il n'avait même rien d'approchant.

10

Les mois suivants furent paisibles, ils trouvèrent leur propre rythme. Tous les jours, il mangeait à sa faim et bien qu'à juste titre, son salaire n'ait pas été élevé, il le trouvait plus que suffisant. Il savait qu'à bord du Fram, tout le monde serait traité de la même manière et nourri de même, sauf les officiers, qui jouissaient de certains privilèges. Ce qu'on lui donnait valait ce que l'armée lui avait offert, et même s'il avait dû se contenter de la moitié, il se serait senti riche, car à présent, il pouvait approcher, il se trouvait même au beau milieu de cette aventure ! Tant que le "Fram" était à quai, il n'était pas allé au charbon, et pour cause, mais il ne tarda pas à s'apercevoir qu'il pouvait se rendre utile malgré tout, et que s'agissant du navire de l'expédition, les règles strictes qui prévalaient sur les bateaux étaient plus élastiques que d'ordinaire. Il faisait des courses, il dressait des listes de provisions, il fut même consulté quand on en arriva à l'armement. Les autres avaient aussi l'expérience de l'armée, naturellement, mais la sienne était la plus récente, et pendant qu'on passait les carabines en revue, il avança (à voix basse !) qu'il serait sage d'en avoir deux, en tout cas, équipées d'une lunette en vue de la chasse au phoque sur la glace. Les engins de ce genre étaient nouveaux et le capitaine Sverdrup ne manqua pas de protester contre cette dépense supplémentaire. "Je touche un phoque à cent mètres les yeux bandés, nom de Dieu", dit-il. Ce fut Nansen qui décida et les deux carabines à lunette furent ajoutées à la liste des équipements.

Le jour qui précéda l'épreuve de tir était gris. Une brume descendait des montagnes sur le port. L'arme à l'épaule, l'équipage traversa la colline au pas et il revécut les exercices du camp, même si cette marche-ci était plus détendue et le peloton moins refermé sur lui-même. De la buée se formait sur le canon des fusils, à cause de l'humidité de l'air et il protégeait le sien de sa main droite en la glissant à intervalles réguliers le long du canon. Il marchait à côté de l'aide-cuisinier, ce qui convenait à peu près, compte tenu de la hiérarchie. Nansen et Sverdrup, le patron et le pilote marchaient les premiers et quand ils approchèrent de la carrière choisie pour servir de champ de tir, Nansen se mit à chanter. Il avait un puissant baryton et tous ne tardèrent pas à l'imiter. Il ne savait pas cette chanson-là, mais dès le deuxième vers il l'adopta et chanta à gorge déployée avec les autres :

Je veux partir là-bas,
pour aller loin, loin, si loin
par-delà les hautes montagnes…

L'air brumeux estompait les mots, les arrondissait, sans ôter une once à la puissance de ce chant. On eût dit qu'il sortait du plus profond de la gorge, et à la fin du dernier vers, ils le reprirent spontanément depuis le début. On eût dit que leur aspiration leur élargissait la poitrine et approfondissait leurs poumons, ils foulaient le sol comme pour prendre leur élan, et il sentait lui-même, en écoutant la voix du chef s'élever au-dessus de celle des autres et traverser toute la colonne, que sa propre voix se mêlait à la sienne, et même qu'ils chantaient à deux voix. Ce sentiment secret lui fit monter le rouge au joues, mais cela pouvait tenir à tant de choses et à côté de lui, l'aide-cuisinier braillait de tout son cœur. Tous étaient heureux et pensaient à l'avenir, tandis que les canons des fusils basculaient et plongeaient à chaque pas de la montée, il vit que Nansen et Sverdrup, qui portaient les fusils à lunette comme des nouveaux-nés, le canon reposant sur leur bras, avaient soigneusement enveloppé d'un linge leur précieux instrument.

Le champ de tir était improvisé, il permettait de tirer à la fois sur appui et à plat ventre, debout ou sur une cible mobile. Cette carrière avait été choisie pour des raisons de sécurité, mais aussi parce qu'on pouvait y faire descendre un tonneau sur une pente assez régulière de sorte qu'il joue le rôle d'un gibier lancé à toute vitesse. C'était Arnljot, le charpentier du bateau, que l'on avait désigné pour lancer le tonneau, un tonneau qu'il n'avait pourtant pas fabriqué, puisqu'il était l'œuvre d'un tonnelier ordinaire anonyme. Nansen se trouvait tout au bout du rang, avec les autres officiers, et quand le tir commença, la brume commença à se lever. Il tira à la fois debout et couché sur les cibles fixes et n'eut pas de difficulté à les toucher une fois les moyens de pointage ajustés, et même avant. Il savait se servir d'une arme. Entre les coups, il regardait du coin de l'œil son voisin, puis le suivant, et il ne fut pas étonné quand le chef de l'expédition s'arrêta à l'endroit où il était couché. On eût dit qu'il l'avait attiré à lui.

– Trois fois dans le mille. Pas mal. Quel est votre nom, déjà ?

– Johansen.

– Johansen, Johansen. Vous n'avez pas d'autre nom ?

– Hjalmar. Hjalmar Johansen.

– Et vous êtes notre soutier ?

– Oui.

– Et tireur d'élite ?

Il ne savait que dire. Il aurait voulu se lever, mais cela aurait paru maladroit. Il sentait la chaleur sur sa nuque, le soleil avait percé. D'un coup, il tourna la tête et vit le grand homme en perspective, des bottes à la tête restée dans l'ombre sous le chapeau à larges bords. Un rayon de soleil atteignit la grosse moustache et la fit briller. Il plissa les yeux.

– Relevez-vous.

Un instant plus tard, il était debout, le fusil au pied. Nansen lui tendit le fusil dont la lunette était protégée.

– Nous avons besoin d'experts, dit-il, nous devons tous être des spécialistes, à bord…

Il se tourna et abrita ses yeux du soleil. La brume, en se levant, faisait fumer les rochers.

– Où est l'homme qui lâche le lièvre ?

Il jeta un coup d'œil circulaire.

– Arnljot, cria-t-il (l'écho de sa voix retentit dans la carrière), vous êtes prêt à lâcher l'animal ?

– Oui, lui répondit-on.

– Si vous touchez le tonneau à cent mètres, je vous ferai confiance.

Cela le troubla. Avec son propre fusil et sans cet instrument, il était sûr de son fait, mais quand il mit en joue cette arme renforcée et qu'il vit l'image télescopique bleuâtre, qui se balançait, le réticule au milieu, il fut sur le point de renoncer. Il réprima un tremblement. Il resserra les épaules pour coincer le fusil. Tous avaient les yeux sur lui, pas seulement le grand homme, les autres aussi. Il revit le sergent, et cela lui fit du bien. Le soleil lui parut moins ardent, l'image de la lunette s'immobilisa un peu. Il avait déjà réussi pas mal de choses, cette fois-ci était la bonne.

– Allons, lâchez-la, cette poulette, cria Nansen.

Un mouvement se fit de l'autre côté de la carrière, des deux mains, le charpentier fit rouler le tonneau sur le bord de la pente presque raide et lui donna de l'élan. Tous les regards étaient fixés sur le tonneau et rien ne bougeait, comme s'ils retenaient aussi leur souffle. Il tenait le fusil entre les mains (Sverdrup avait pris le sien) et quand il eut collé son regard sur la cible qui roulait et sautait et qu'il la vit arriver à sa portée, il souleva le fusil et s'aperçut – cela claqua presque dans sa tête ! – que la lunette doublait la taille de la cible, qu'il était possible de se placer tout à fait dessus pour qu'elle reste parfaitement nette, au milieu du réticule, mais il calcula en même temps la distance et la vitesse, fit en une seconde le compte et la division, par réflexe, en sachant qu'il devait être un peu en avance, et quand il tira, il ne s'avisa absolument pas qu'il tenait la lunette beaucoup trop près de son œil ; il entendit à peine l'acclamation, qui jaillit de toutes parts, ce ne fut qu'au moment où le sang se mit à couler au coin de son œil qu'il comprit que quelque chose n'allait pas, mais peu importait, il savait que le coup avait porté comme il fallait, il savait qu'il avait touché la cible, il savait qu'il la touchait chaque fois qu'il visait, que la cible importait peu puisqu'il était sûr de la toucher, qu'il saigne ou non.

Tout en le félicitant, on soigna son œil. Il voulait minimiser la chose, ce n'était que le recul, mais en voyant couler le sang sur la manche de son gilet, il accepta le mouchoir – un grand mouchoir blanc en batiste – tendu par le chef de l'expédition. Il se tamponna l'œil et quand il vit tout le sang qui continuait à couler, il garda cette douce étoffe sur son œil. Le soleil avait atteint toute sa force et les tirs continuèrent. La plupart touchèrent la cible, mais aucun – avec ou sans la lunette – ne plaça la balle avec autant de précision que lui. De surcroît, il avait appris une leçon : quand on tire avec une lunette, il faut rester à distance, sinon, cela vous vaut une cicatrice.

Il ne saigna pas longtemps, il resta simplement endolori, et ce ne fut qu'en se regardant dans la glace qu'il comprit à quel point le coup avait été rude et tranchant le bord de la lunette. Il ne savait que faire du mouchoir, personne ne le lui demanda et il ne pouvait pas le rendre trempé de sang. Il fallait d'abord qu'il le lave, ensuite il verrait. Mais bien entendu, il ne pouvait garder ce mouchoir.

Il y avait tant à faire, tant à soupeser, tant de nouvelles expériences à vivre, que la période qui précéda le départ passa vite. Il avait peine à croire que six mois s'étaient écoulés. Ses rapports avec ses camarades étaient aussi entièrement différents de ceux qu'il avait connus au lycée et à l'école des recrues. Ils pouvaient se taquiner, se disputer et même échanger des grossièretés, malgré tout, cela faisait une autre impression. Il ne savait pas tout à fait comme la décrire, mais personnellement, il éprouvait une espèce de tendresse ou une sollicitude escomptée. Ils pourraient avoir besoin les uns des autres d'une toute autre façon que d'ordinaire entre hommes. Nansen, comme le capitaine y revenaient régulièrement, et il les comprenait.

Des mois d'obscurité dans la glace et la neige n'étaient pas des conditions normales pour une vie commune. Cela exigerait quelque chose de spécial, un calme, une tolérance qu'il comptait bien trouver chez lui et chez les autres, mais qu'il devrait maintenir fermement, même quand il était submergé par ses sentiments, ce qui arrivait par intervalles, à la fois quand il pensait à ce qui s'était passé et à ce qui devait se passer. Il s'agissait de garder sa contenance, il s'agissait avant tout de garder sa contenance.

Certes, le regard de Nansen s'était posé sur lui, et le capitaine savait qui il était, lui aussi. Mais c'était à son propre niveau qu'il se sentait en sécurité et qu'il se lia, le plus chaleureusement avec Arnljot, le charpentier qui avait fait rouler le tonneau et à qui il devait un œil au beurre noir et un coup dans le mille. Ils s'attirèrent mutuellement à cause de leur timidité commune, du mal qu'ils se donnaient pour la cacher et parce qu'ils venaient d'un hameau et sentaient qu'ils se retrouvaient sur un barreau de l'échelle plus élevé qu'ils n'auraient pu l'imaginer. Lui-même était "monté vers le bas" pour ainsi dire, puisqu'étant bachelier et caporal, il se retrouvait soutier. Mais il savait à quoi s'en tenir, ils savaient tous les deux à quoi s'en tenir : l'atout qu'ils avaient en main était si riche de potentialités que dès leur engagement, ils avaient de quoi se considérer comme quelque chose d'extraordinaire, quelque chose que peu d'autres étaient ou pourraient devenir, ils étaient, pour ainsi dire, des hommes d'un calibre si exceptionnel qu'il était plus que justifié qu'ils se considèrent comme extrêmement virils, quelle que fût leur place dans la société. Mais le charpentier était charpentier malgré tout ; il avait sans aucun doute une confiance en lui et un comportement plus assuré et plus naturel que la plupart, même s'il était vrai qu'au fond, il souffrait périodiquement du sentiment de son insuffisance. En fait, il avait peur du noir.

Quinze jours avant l'appareillage du "Fram", un bal fut organisé. Contrairement aux usages, les simples membres de l'équipage et les officiers festoyèrent dans la même salle, accompagnés de leurs dames. Tous étaient sur leur trente-et-un, et comme à part les officiers, l'équipage n'avait pas d'uniforme particulier, ils louèrent et empruntèrent des tenues de soirée partout et n'importe où. Le smoking qui lui échut le serrait aux entournures et le charpentier avait mis la main sur un habit si lustré par le temps qu'il tirait sur le vert. Mais personne ne remarqua rien, l'assemblée était au départ si hétéroclite qu'il s'en dégageait une certaine uniformité loufoque. En revanche, les tenues des dames invitées brillaient d'une telle élégance qu'elles et la musique rehaussaient la coupole de la salle de danse et élevaient l'assistance d'un pouce au-dessus de la piste. Une valse retentit et quand le docteur Nansen ouvrit le bal avec une dame ravissante en longue robe blanche à festons et qu'elle se renversa en arrière sur son bras, un éventail à la main, un frémissement parcourut la salle, presque aussi fort que le sang qui fit battre son cœur dans sa poitrine quand il vit que la compagne du second du navire était la grande fille aux cheveux noirs, aux larges épaules et au ventre plat qu'il avait vue étant lycéen. Pourquoi il fallait que ce soit un autre que lui qui la conduise, il ne se l'expliqua pas, cela paraissait à la fois naturel et totalement absurde, et cela le divisa en deux, d'un côté il souriait, de l'autre il fulminait. N'était-il pas temps d'entrer en action ? Elle ne crachait pas sur la soupe, cela, il le savait !

– Tu l'as vue ?

Le charpentier transpirait dans son habit défraîchi.

– La brune du second ?

– Cette espèce de phare ?

– Oui, elle est grande.

– Sûrement pas quand elle est couchée…

Ces propos ne le satisfaisaient pas. Il se représentait les choses autrement. De nouveau, il était seul. Il fallait qu'il se reprenne. Qu'il apprenne ce qui allait de soi. Il avait observé Nansen tous les jours, en le suivant des yeux. Quand il avait ouvert le bal, c'était lui qui dansait, sans l'ombre d'un doute, et avec la plus belle dame, et cela allait de soi. Il n'était question ni d'une marque honorifique ni de quelque chose de spécial, il en était ainsi, tout simplement, et si on ne le comprenait pas et ne l'acceptait pas, c'est qu'on était un idiot ou un rustre avec ses gros sabots. Pas un noble en tout cas, comme Nansen, c'était évident, un vrai noble, de naissance, qui arborait sur toute sa personne l'ensemble des fières distinctions acquises par sa réussite. Un privilégié.

Quand il traversa la salle en diagonale pour aller l'inviter à danser, il perdit courage. Il resta debout sur la piste à la regarder fixement. Il la vit se pencher en arrière pour rire, un verre dans sa main gantée de blanc. Il vit son long cou. Il savait qu'il serait déplacé qu'une personne d'un rang inférieur, un soutier, invite la dame d'un officier. Que cela ne se fait pas, même quand on en a envie. Il savait qu'il y a des limites. Elle l'avait aperçu et lui sourit aimablement pendant un instant, comme si elle le reconnaissait. Puis elle se détourna et poursuivit sa conversation interrompue, la musique commença et les couples tournèrent en rond autour de lui. Il leva les yeux et regarda la verrière légèrement vibrante de la salle de bal et eut envie de crier. Mais il ne le fit pas, car il n'ignorait pas qu'il devait se maîtriser, que la discipline était l'essentiel et que l'on n'atteignait jamais son but si l'on ne se ressaisissait pas. Il retourna donc vers son ami en ne s'étonnant que très brièvement de sa propre attitude. Ne s'était-il pas ressaisi, en effet, en prenant son courage à deux mains pour s'approcher de cette grande fille et pour l'inviter à danser ? L'espace d'un instant, il sentit frémir la cicatrice qui entourait son œil et posa la main dessus. Puis il alla à sa place, les mains pendantes, en sentant que son habit le serrait aux entournures. Son œil le cuisait toujours, il fouilla dans sa poche et en sortit le mouchoir. Un jour, il faudrait qu'il se décide à le rendre, mais juste en ce moment, il était content de l'avoir.

11

Tandis que le vapeur cinglait vers le nord, il faisait l'expérience, à bord du "Fram", d'une confiance qui lui était totalement nouvelle. Enfermé dans le cocon que représentait le navire, il avait l'impression d'appartenir à son noyau, d'être au centre d'une entité et d'en faire partie. La forme du navire faisait penser à une noix – on l'a dit -, mais la résistance prévue pour protéger le bâtiment contre la pression de la banquise s'appliquait aussi à l'intérieur du vaisseau, les planches respiraient la solidité, la construction même de la coque ressemblait à une étreinte et la pression de l'eau de la mer, les remous du sillage étaient une longue confirmation, ou la réalisation même de son rêve : ici, on allait prendre des risques, mais on avait pris ses précautions, on avait réfléchi !

Jusqu'à cette époque de sa vie, il n'avait vécu qu'une succession de hasards. Au lycée, on respectait un programme et l'armée avait ses règles, mais qui se dispersaient sur une vaste surface et que l'on appliquait pêle-mêle, et quant à sa famille, si une certaine régularité y avait régné, la mort de sa mère l'avait absurdement brisée. Il la ressentait comme une injustice, ou comme la confirmation que l'on ne peut compter sur rien. En voyant le cercueil disparaître dans le trou noir, debout au cimetière avec les autres, il avait eu la sensation que ses yeux étaient atteints, la trame de l'image s'était désintégrée, le monde avait pris un ton diffus, même si la scène qui se déroulait sous ses yeux paraissait être d'une inconvenance palpable. Une pellicule s'était posée sur toutes choses, comme sous l'effet d'une grisaille perpétuelle ; ainsi avait-il aussi vu le champ de manœuvres, de la fenêtre du sergent, de même que le pré derrière la clôture, quand il avait surpris son camarade avec la grande fille. Il fallait même qu'il se fasse violence pour se persuader qu'en fait, le soleil brillait de temps à autre, et que les saisons changeaient, mais ce n'était pas facile, c'était comme un fardeau à soulever.

A bord du "Fram", il ne ressentait pas ce poids, et en faisant un retour sur lui-même, il découvrit qu'en fait, il ne le ressentait plus depuis un bon bout de temps ; en fait, il ne pouvait fixer avec précision le moment de sa libération, or en même temps, étrangement, il se remémora à quel point il faisait gris et combien il pleuvait à l'heure de sa rencontre avec le docteur Nansen, sous la marquise du Café du Théâtre. Quel que soit l'angle sous lequel il considérait les choses, c'était à cet instant-là qu'avait commencé son ascension vers la lumière, et lorsqu'il faisait face à la gueule féroce et rugissante du foyer, sous le pont du "Fram", et qu'il nourrissait cet être insatiable de pelletée après pelletée de charbon, il débordait d'un sentiment qu'il ne pouvait qualifier d'autre chose que de bonheur. Les chaudières l'entouraient, derrière lui, les pistons travaillaient avec un bruit assourdissant et à un rythme constant, mais de temps en temps, il entendait le tintement du transmetteur d'ordres à la machine, la respiration changeait, on sentait que le navire se penchait, ramassait ses forces, et qu'une libération se produisait, le bateau était un corps vivant qui obéissait aux ordres, indépendamment de la puissance qu'il contenait, le navire était dompté et réagissait sans peine aux commandes, même si sa puissance potentielle était si terrible qu'en obéissant à une idée erronée ou à un ordre mal compris, il eût pu les envoyer tous par le fond. Or c'était là que le miracle se matérialisait, personne à bord n'aurait eu l'idée d'un sabotage, aucun parmi eux n'aurait voulu autre chose que ce qu'ils voulaient tous, à commencer par le grand visionnaire et pilote, le conquérant et le savant, le planificateur et l'exécutant, leur chef. Et le navire lui-même le savait, bien entendu, l'image de la noix était plus exacte qu'il ne l'avait imaginé naguère : que voyait-on, en effet, quand on en ouvrait la coquille ? Un cerveau ! C'était clair comme le jour, la réciprocité était palpable, la construction mentale s'était transformée à l'évidence en matériaux, fonction, forme, efficacité, concrétion. Ce qu'ils faisaient à bord était à l'opposé du romanesque et bien que la nature de la poésie lui fût étrangère, il savait instinctivement qu'il participait à un projet créateur qui s'élevait très haut au-dessus des contingences banales. A un niveau situé au-dessus de ce qui était vulgairement évident et diffus, au niveau où il se trouvait à présent.

Mais il y avait eu des écarts, et la veille de leur départ, il avait eu peur. Non, peur n'était pas le terme exact, il s'était senti incertain, désorienté. La perspective d'un adieu à “la civilisation”, ou au monde connu en tout cas, qui devait durer des mois, voire des années, réclamait quelque chose de particulier. Peut-être n'y avait-il aucune raison de se monter autant la tête, le départ de toute expédition, après des mois de préparatifs, exigeait d'être marqué. Néanmoins, personne n'aurait pu prévoir que l'équipage du “Fram” – entre tous –, s'enivrerait à en perdre la raison durant la nuit qui précédait leur départ dans l'inconnu.

La soirée était claire et pourtant, les hublots ronds du mess brillaient d'un éclat particulier du fait de toutes les lampes allumées à l'intérieur. Le “Fram” était à quai, sa silhouette se détachait sur un ciel nordique d'une luminosité photographique. Il descendait à pied avec le charpentier, du bureau du ravitaillement situé la hauteur, et tous deux étaient émus par cette ambiance spéciale d'attente, d'appréhension et de nervosité sans doute naturelle en ce moment.

– Ça donne faim, non ?

Il avait hoché affirmativement la tête.

– Ce soir, ça sera sûrement autre chose que des biscuits et des sardines.

– De la pâtée pour chiens, peut-être.

Le charpentier avait passé son bras autour de ses épaules :

– Il y a une chose qui ne me plaît pas, dit-il. Ces clébards me portent sur les nerfs. Le chien du bord, je n'ai rien contre, mais quand il y en a des meutes.

– Ce n'est pas dit qu'on les mangera, tu sais.

– Mais non, idiot, ce n'est pas ça. C'est qu'ils hurlent à la lune, tu ne l'as pas entendu ?

– Si. Mais si…

– Ne m'en parle pas, je ferai comme si de rien n'était, comme s'ils n'existaient pas.

Il s'arrêta sur l'échelle et se retourna :

– Arnljot, dit-il, ce n'est pas au point que tu refuses de partir ?

– De quoi parles-tu ?

– Ces chiens ne te plaisent pas ?

– Qu'est-ce que tu racontes ? Tu crois que je ne sais pas que ces clébards sont indispensables, même s'ils ne me plaisent pas ?

– Si.

Le charpentier se propulsa en avant :

– Tout ce qui est indispensable n'a pas besoin de nous plaire, hein ?

– Non. Mais on peut peut-être apprendre à aimer ce qui ne nous plaît pas...

La figure d'Arnljot touchait presque la sienne.

– Peut-être, dit-il, mais si on aime ce qu'on aime à la folie, ça suffit. Le reste n'a pas d'importance.

– Oui.

– Allez, viens. On nous donnera peut-être des biscuits pour chiens avec nos sardines pour fêter ce grand jour.

En fait, le dîner était somptueux et bien qu'ils ne soient plus des enfants, ils n'étaient pas tous calibrés pour savoir précisément quelle dose ils supporteraient de ces boissons de luxe. S'ils avaient été seuls, les officiers n'auraient certainement pas eu de problèmes, mais puisque tout l'équipage était là, les frontières naturelles se gommèrent, ainsi que la capacité de jugement de chacun. Ce fut l'impression qu'on en eut, en tout cas. Cela s'exprima par une série de cadences qui commença dans une expectative muette, nerveuse, voire effrayée, suivie d'un début de murmures, lesquels se muèrent en gros rires pour finir par des cris et des braillements.

Il contemplait la scène, les yeux brillants, et même sans prendre part à ce chœur bruyant, il sentait grandir son ivresse et voyait la pièce s'agrandir et se rétrécir à la fois. Il observait tous ces visages devenus familiers, la manière dont leurs bouches s'agrandissaient, dont ils rejetaient la tête en arrière, le verre à la main, il les entendait parler fort, tout en percevant un chant cristallin, comme si la coupole de la nuit polaire s'élevait déjà au-dessus d'eux, et qu'ils eussent été à des milles et des milles du lieu sûr où ils se trouvaient en ce moment. Étaient-ils déjà partis malgré tout ? Il capta la figure du chef, sérieux comme toujours, et vit qu'il s'apprêtait à se lever. Un instant plus tard, Nansen frappa sur son verre et après une attente étonnamment brève, la lame de fond du vacarme retomba et le silence se fit dans le mess.

– Mes amis, dit le grand homme, nous voilà arrivés à l'instant où commence notre périple. C'est l'heure des adieux. Mais en tendant la main pour dire adieu, nous la tendons aussi pour dire bonjour. Nous saluons l'inconnu, mais nous avons un but. C'est bon à savoir.

Il leva son verre sans se départir un instant de son sérieux :

– Au "Fram" et à l'avenir ! Hip, hip…

Les hourras rugirent dans les rangs vacillants des hommes qui s'étaient mis sur leurs jambes, mais avant même qu'ils se soient éteints, le chef de l'expédition avait tourné les talons, posé son verre et était sorti. La surprise générale provoqua un instant de silence perplexe, puis la salle s'emplit à nouveau de voix et de bruits, de raclements de chaises, de rires et de toux. Il suivit longtemps des yeux l'homme qui sortait, et même après que la porte se fût refermée derrière lui, une trace lumineuse demeura dans la pièce, un souffle si puissant que cela parut choquant, ce qui fut peut-être la raison pour laquelle, au même instant, les chiens se mirent à aboyer. Le charpentier ne fit mine de rien, il s'était rapproché du groupe des officiers et était visiblement en train de raconter une assez longue histoire, car ils l'écoutaient, le visage tourné vers lui, un regard plein de curiosité au-dessus de leur barbe noire. Le capitaine, son verre de grog à la main, mordait le bout d'une pipe recourbée. L'air était rempli de fumée. Quand le fin mot de l'histoire fut tombé, apparemment, ils changèrent d'expression, le groupe tangua un peu ça et là, et comme, en même temps, quelqu'un qu'il ne voyait pas lui mit la main sur l'épaule, il sortit, obéissant à une impulsion qui n'avait fait que grandir au cours des dernières minutes. Il était gris, mais pas complètement noir.

Sur le pont, il aperçut la silhouette de Nansen. Il avait presque su qu'il y serait. Debout tout à l'avant du navire, à côté du beaupré, Nansen avait la main posée sur un rouleau de cordages. On eût dit qu'il voulait calmer le navire, pourtant immobile dans les eaux étales du port, et qu'un courant imperceptible faisait très faiblement virer. Les sons venant d'en bas faisaient vibrer l'air, un bourdon constant interrompu par des aigus stridents. Pourtant, la scène semblait paisible, cette image, cette vision tranquillisaient, et pas un son ne venait de l'agglomération. Même les chiens étaient muets, un nuage passait devant la lune. Il s'approcha.

Avant qu'il n'arrive tout près de lui, le grand homme tourna la tête.

– Que voulez-vous ?

– J'avais besoin d'air.

– C'est Johansen ?

– Oui, docteur.

Nansen se remit à regarder droit devant lui.

– Vous êtes donc du voyage ?

– Oui.

– Très bien. Bon. Le voyage sera long. Et dur.

De nouveau, il le regarda.

– Vous le savez ?

– Oui.

– Bien.

La lune, réapparue, traça une coulée argentée à la surface de l'eau du port.

Nansen se lissa la barbe.

– Retournez donc avec les autres. C'est la dernière occasion avant longtemps. Vous le savez ?

– Oui.

– Je crois que vous savez tout…

La voix était assourdie, tout à coup, puis elle reprit de la force :

– Mais vous ne pouvez pas être satisfait. Dans la soute, “*votre séjour en enfer*”, ce n'est quand même pas assez, n'est-ce pas ?

– Assez ?
– Je croyais que vous visiez haut, Johansen.
– Je suis du voyage.
– “Vous êtes du voyage”, est-ce votre rêve ?
– C’était mon rêve. Et ce n’est pas “l’enfer”.
Nansen respira profondément.
– Certes, ce n’est pas l’enfer. Chaque chose à sa place. Mais vous en savez plus long que ça, je crois que vous valez plus que ça. Je vous ai observé, n’est-ce pas... Un homme a le devoir de se trouver, de prendre conscience de sa propre valeur ! Et vous êtes fort. Mettez-vous de profil.
Il se tourna dans le clair de lune.
– ..., la taille, les hanches, les jambes... Êtes-vous ivre ?
– Non, docteur Nansen.
– Bien, alors, retournez là-bas. Demain sera un jour nouveau. Et nous avons besoin de vos forces. Le “Fram” a besoin de vous.

Le lendemain, ils appareillèrent, sans être en forme pour naviguer. Peut-être était-ce un mauvais présage, peut-être simplement une conséquence naturelle. Mais la semonce qu’ils reçurent, debout à l’arrière, modifia les proportions en dévoilant un aspect du tableau qu’ils ne connaissaient pas encore. Le chef de l’expédition passa et repassa devant eux, les mains dans le dos, en leur donnant son avis. Il leur dit “ce qu’il pensait, sans détours”, et tandis que l’agglomération disparaissait derrière eux, ainsi que la montagne et la côte, il le leur martela. Il trouvait leur conduite honteuse, ce n’était pas viril, d’après lui, de s’enivrer à en perdre la raison et de souiller ainsi, non seulement l’emménagement de l’équipage mais aussi leur propre esprit, avant le début de quelque chose qui exigeait leur attention, leur discipline et leur engagement tout entiers. Ils ne naviguaient pas uniquement en son nom et en leur nom propre, mais aussi au nom du roi,- et s’il pouvait se permettre de l'ajouter – au nom de Dieu. S'il n'avait pas été question d'une cause aussi grandiose, il aurait été prêt à faire demi-tour sur-le-champ pour mouiller dans un port sûr où ils pourraient se séparer, si tout un chacun n'était pas prêt à remplir toutes les clauses du contrat, lesquelles englobaient non seulement les tâches d'un marin ordinaire, mais les devoirs d'un savant. Ils devaient donc se considérer comme des serviteurs, et retrouver dès que possible le chemin d'une humilité nouvelle qui redresserait leur conduite, puisque jusqu'à maintenant d'une manière si remarquable et si regrettable, ils s'étaient montrés incapables de la redresser eux-mêmes.

La pâleur qu'ils devaient à la terrible gueule de bois qu'ils traînaient tous, sans exception, se mêlait à la bruine crue du matin et l'aigreur qu'ils ressentaient ne venait pas uniquement de ces paroles injurieuses, mais du fait que tous comprenaient qu'ils avaient failli à leur devoir. Cela leur donnait un goût de bile dans la bouche, un besoin de rébellion mal réprimé, – puisqu'ils étaient des adultes, malgré tout -tout en leur inspirant une soumission canine difficilement supportable à ce moment précis. Lui-même était penaud, non parce qu'il avait quelque raison spéciale de l'être, mais parce qu'il trouvait que tout le monde était allé trop loin, et qu'ils avaient franchi certaines limites qu'ils n'auraient pas dû franchir. C'était comme son retour avec le sergent, à la fois gênant et doux, provoquant et détestable, comme toujours lorsqu'on assiste à une exhibition.

Il se retourna pour regarder la ligne d'horizon qui se rapprochait et disparaissait en même temps. Il avait largement bourré le foyer depuis le petit matin. Maintenant, il était obligé d'aller rajouter du charbon, de descendre au four, en enfer, et bien qu'il eût préféré être sur le pont, pour l'instant il ne fut pas fâché de s'esquiver. Son heure viendrait certainement. Il le savait, et il sentait qu'il avait un soutien solide, un allié.

12

La glace et la neige, il les connaissait. L'une et l'autre avaient fait partie de sa vie depuis le début, et quand il glissait à ski sur de la neige vierge, il ne faisait qu'un avec la météorologie. Mais à mesure qu'ils approchaient de l'espace polaire (le cercle polaire était dépassé depuis longtemps) et que la glace flottante devenait plus compacte et s'étendait à perte de vue à tous les azimuts, il ne vécut plus les choses de la même manière. Quand il montait de la soute, la figure brûlante et la chemise trempée de sueur, devant comme derrière, et qu'il voyait cette étendue blanche infinie, il était facilement pris de peur. Chez lui, même avec toute cette glace et cette neige, il y avait toujours, à portée de vue une chose ou une autre qui rappelait la vie : un arbre, une maison, un oiseau, un animal. Mais ici, il n'y avait rien, même les oiseaux de mer s'étaient faits plus rares, et quand ils apercevaient enfin une baleine et qu'elle montrait sa queue fendue dans une courbe aspirante avant de disparaître dans les profondeurs, on avait davantage le sentiment d'un rejet que d'une confirmation, c'était même comme si ce gros mammifère vous arrachait l'âme du corps pour l'emporter au fond de l'obscurité liquide. Il lui arrivait d'avoir les yeux secs à force de fixer l'eau pour attendre la réapparition possible de la baleine, mais en général, elle disparaissait pour ne pas reparaître, et déraisonnablement, il se sentait abandonné. Ce n'était qu'un sentiment fugitif, mais fort, parce qu'il jugeait qu'il ne pouvait le partager avec personne. Nul ne parlait de sentiments, seule leur expression trahissait de temps à autre qu'ils vivaient peut-être, à certains moments, les mêmes expériences que lui. Souvent, il voyait les autres membres de l'équipage, debout devant le bastingage, regarder fixement l'étendue blanche qui ne voulait pas prendre fin et il remarquait que la vue s'imprimait sur leur visage, comme s'ils étaient eux-mêmes gelés et qu'à chaque instant, leur peau serait prête à tomber en lambeaux. Cela le mettait en colère, parce que cette vision se retournait contre lui et paraissait si choquante qu'il portait ses mains à sa tête pour savoir si des changements incontrôlables se produisaient aussi chez lui.

Pour remplacer les signes d'une vie au sang chaud qu'il ne voyait plus quotidiennement, il s'occupait d'une souris qui logeait au poste de l'équipage. Il aurait dû, depuis longtemps, l'attraper et la jeter par-dessus bord, mais il la protégeait et allait même jusqu'à la nourrir avec des miettes de pain et un peu de fromage qu'il fourrait dans ses poches pendant les repas. Nul ne commentait ce sport secret, au contraire, la plupart juraient quand ils voyaient ce petit être aux yeux de jais filer comme une flèche sur le plancher. Ils auraient pu l'attraper, mais même ceux qui juraient le plus fort n'en faisaient rien.

Un jour où la nostalgie lui pesait et où debout devant le bastingage, il pensait qu'un instant plus tard, il deviendrait aveugle à force de fixer l'aveuglement, le capitaine s'arrêta à côté de lui. Il posa les bras sur le bastingage et ils restèrent un moment silencieux. Peut-être aurait-il dû se redresser, puisque l'officier était si près de lui, mais en ce moment précis, il se sentait si abattu qu'il n'en eut pas le courage. La monotonie des raclements de la glace contre les parois du navire à la fois l'assoupissait et le rapprochait de la folie aux dents de scie.

– Alors, Johansen, comment vont les choses sous le pont ?

Il haussa les épaules et redressa le torse.

– Quel est l'imbécile qui a dit que vous deviez être soutier ?

Il n'osait pas dire que c'était le capitaine en personne, mais quelque chose le lui fit dire malgré tout.

– Je le sais, mon petit, je le sais. Et je le regrette. Mais la pression était forte, et j'ai vu que vous vouliez en être, n'est-ce pas. Avez-vous des regrets ?

Il fit un signe de dénégation, d'un geste presque imperceptible.

– Vous avez trop de jugeotte pour rester douze heures par jour là-dessous, dans cet enfer. Nous allons partager votre service. Qu'en dites-vous ?

Il n'avait rien à dire à cela, il ne savait pas non plus ce que cela signifiait. Mais il devait admettre qu'il se sentait châtré et que la monotonie et la blancheur lui portaient sur les nerfs. Pour lui autrefois, le printemps n'avait rien signifié de spécial, mais en ce moment, son besoin de changement devenait si impatient que cela le frappait comme un coup. Il vacillait en se retenant des deux mains au bastingage. Il voyait un chapeau de dame noir orné d'une fleur jaune, il voyait un tapis d'herbe verte, il voyait un bras jeté nonchalamment en arrière et une paume ouverte.

– Nous avons décidé de mieux faire circuler les hommes, dit Sverdrup. Nansen pense que c'est bon pour l'équipage de se mettre à toutes les fonctions du navire. Vous n'allez pas devenir capitaine, Johansen, mais j'aimerais vous voir sur le pont. Savez-vous vous servir d'un sextant ? Bon, peu importe, nous avons des gens pour cela. Mais je me souviens de votre tir ; sous peu, nous serons emprisonnés par la banquise et il nous faudra du ravitaillement. Vous pouvez toucher un phoque ?

Cette question banale était une invitation, il le comprit et sourit :

– A cent cinquante mètres, avec le fusil à lunette.

– Oui, mais ce n'est quand même pas sûr qu'on vous permettra de jouer avec celui-là. Pour l'instant, vous pouvez vous présenter sur le pont à quatre heures pour prendre le quart.

– Mais…

– “Mais” quoi ?

Il ne savait comment formuler sa question, mais elle sortit :

– Ce n'est pas certain que… cela plaira à celui qu'on enverra dans la soute, vous savez.

Le capitaine se retourna :

– Bien pensé, Johansen, dit-il, mais il y a des choses dont vous n'avez pas à vous soucier. Laissez aux autres le soin de s'en occuper, d'ailleurs, même si je suis le patron, ici, c'est le docteur qui décide. Il pense autrement…

– Oui.

– Il pense autrement que vous et moi, Johansen, c'est ce qu'il a de spécial, et c'est lui qui décide.

Bizarrement, ces mots mirent les choses à leur juste place et son humeur, déjà plus légère, s'allégea encore davantage. Plusieurs fois par jour, il avait vu Nansen en esprit, mais pendant leur traversée de cette étendue blanche, pendant qu'il contribuait presque furieusement à maintenir la pression de la vapeur, le chef de l'expédition s'était retiré de son champ de vision. Il le voyait sans le voir vraiment, parce que Nansen ne le voyait pas. Il n'était que l'un des autres, l'un de ceux qui avaient tout sacrifié pour devenir des actionnaires de cette aventure qui paraissait déjà s'effriter sur les bords, être répétitive et dépourvue d'avenir, même si leur but était une terre nouvelle ou du moins une tache blanche que personne avant eux n'avait jamais ni vue ni approchée.

Quand il entra dans la cabine qu'il partageait avec le charpentier, ce dernier, assis sur sa couchette, fixait le plancher des yeux. D'un coin de la table de toilette, la souris le fixait aussi. Un moment passa, puis le charpentier lui dit :

– Voilà ta souris, Hjalmar, regarde-la bien.

Sa voix était basse, légèrement menaçante.

– Je t'ai vu jouer avec, mais maintenant, fini de jouer.

– Qu'est-ce qu'elle a, ma souris ?

– Des crottes de souris dans mon lit, ça ne me dérange pas trop, mais quand elle ronge le chocolat que ma copine m'a donné pour le voyage, ça me rend fou.

La manière dont la souris restait pétrifiée donnait à penser qu'elle s'imaginait peut-être avoir disparu, que son immobilité la rendait invisible. Mais elle était bien là, d'un gris soyeux et les yeux brillants.

– Je vais la sortir d'ici.

– Non, tu ne la sortiras pas… Je vais la tuer. Parce que si je ne la tue pas, elle reviendra. Je te connais. Et quand on a commencé à gâter une souris, elle ne se laisse pas chasser. Tout le monde comprend ça. Pas toi ?

– Je…

– On tombe amoureux de quelque chose, et même si ce n'est que d'une souris, on devient fou. Et je n'accepte pas ça.

Le charpentier leva les yeux et le regarda :

– Il faut que tu trouves autre chose à aimer.

La distance qui se creusa entre eux à cet instant-là le surprit. Il n'avait pas prévu cette situation et ne savait que faire. Il imagina vaguement la souris trottant sur la glace, peut-être qu'elle se débrouillerait, qu'elle retrouverait son chemin et reviendrait. Il savait que c'était absurde, mais il n'autoriserait pas le charpentier à organiser l'exécution de la souris. Soudain, la souris sortit de son immobilité et disparut en moins d'une seconde, mais le charpentier avait pâli :

– Nom de Dieu, hurla-t-il, Nom de Dieu. Elle est dans la jambe de mon pantalon, la droite, juste sous mon genou !

Comme un ressort soudain libéré, le charpentier se leva

d'un bond et se lança dans une danse de Saint-Guy qui fit valser la lampe de la chambrette et tonner les cloisons, chaque fois qu'il les martelait.

– Cochon, hurlait-il, cochon, j'aurais dû tordre le cou de cette salope depuis longtemps, je le savais.

– Arnljot, Arnljot !

Ils se tenaient à bras le corps et dansaient ensemble maintenant, malgré l'exiguïté de la cabine.

– Laisse-moi l'emporter. Je la tuerai. Je te promets que je la tuerai moi-même.

– Menteur, criait le charpentier, menteur, sale amoureux des souris…

Ni l'un ni l'autre ne s'était aperçu que depuis belle lurette, la souris s'était absentée pour descendre à la cuisine où il faisait chaud et où quelques miettes tombaient de temps en temps. Ils basculèrent sur la couchette, côte à côte, haletants. Quelques minutes plus tard, ils se calmèrent.

– Pourquoi as-tu fait une crise pareille, tu sais bien que ce n'est qu'une souris ?

– Je la déteste.

– Comment peut-on détester une souris ?

– C'est facile. Il n'y a rien de plus facile.

– Tu savais que j'y tenais.

– Oui. Peut-être que c'est ça qui m'a rendu fou furieux.

– Je ne comprends pas.

– Il y a un tas de choses que tu ne comprends pas. Mais je vais essayer de te l'expliquer, les hommes n'ont pas à aimer les souris, ils doivent aimer les gens.

Le charpentier lui mit la main sur le bras.

– Pourquoi t'es-tu enrôlé dans cette folie ?

– Pour la même raison que toi. Je voulais aller au bout du monde avec eux.

– Et puis quoi ?

– Je voulais aller quelque part où il n'y avait jamais eu personne.

– Et tu es là, assis sur une couchette, à protéger une souris.

– Oui.

Il y eut une pause, ils écoutaient la glace râcler les parois du navire, puis le charpentier déclara :

– Je crois que tu es amoureux de lui.

Ni l'un ni l'autre n'avait de doute sur l'identité de ce "lui", mais il répondit quand même :

– Comment ça ?

– Je crois que tu es amoureux de lui, de la souris en chef… comme nous autres.

– C'est idiot.

– Je crois qu'il t'a tourné la tête. Je crois qu'il t'a rendu fou, je crois qu'il nous a tous rendus fous, et que nous étions fous longtemps avant de partir.

– Parle pour toi.

Quelque chose se rétrécit. La cabine parut plus étroite.

– C'est ce que je fais, Hjalmar, je parle pour moi, et pour toi et pour tous les autres.

Il se mit à rire.

– Je suis devenu une espèce de porte-parole, je crois que je suis devenu président du club des idiots. La seule chose qui me manque, c'est une tribune, alors là, tu m'entendras !

Au même instant, la sirène du navire retentit et ils furent debout tout de suite. D'autres étaient déjà dans le couloir et quand ils débouchèrent sur le pont, il virent un troupeau de phoques à capuchon nageant paresseusement entre les masses de glace, dans une large bande de bas-fonds. Ils faisaient penser à des messieurs qui se prélassaient dans une piscine, bien décidés à savourer leur bain, et la présence du "Fram" ne semblait pas les inquiéter. Ils n'avaient sûrement jamais vu de bateau.

Tous les officiers étaient sur le pont, le chef de l'expédition au milieu du groupe. Avec ses bottes et son chapeau à large bord, il les dépassait de plus d'une tête. Tous suivaient les animaux des yeux, le silence régnait. Le patron avait arrêté les pistons, de la fumée noire sortait de la cheminée et retombait en direction de l'eau, comme une mantille négligemment détachée. La voix de Nansen retentit, assourdie dans l'air gris et humide :

– Johansen.

Il leva la tête et vit que le grand homme avait levé le fusil à lunette. En même temps, il fit un signe de tête. Un signal mal défini, mais sans méprise possible. Peut-être que Nansen parlait si bas de peur d'effrayer les animaux. Par contre, il brandissait son arme et l'agitait avec insistance. Le charpentier lui donna un coup de coude dans les côtes :

– Vas-y, camarade, chuchota-t-il, montre de quoi tu es capable.

D'autres armes étaient apparues, mais ils n'épaulèrent pas avant qu'il n'arrive sur le pont et qu'il ait en mains le fusil spécial que lui tendait le chef de l'expédition avec un sourire, et ce ne fut qu'après qu'il ait tiré que les autres le firent.

L'effet ponctuel anesthésiant de tous ces coups de feu provoqua un furieux changement de tableau. La scène, auparavant paisible et insouciante, se mua sans transition en un chaos sanglant où les animaux survivants fouettèrent l'eau au milieu des morts et des blessés avant de plonger et de disparaître, comme sur commande. Il sentit la main de Nansen sur son épaule et se réveilla.

– Ici, on n'avait pas besoin de lunette ?

Sans mot dire, il fit non de la tête. L'animal qui s'était trouvé au centre du réticule quand il avait pressé la détente flottait maintenant, mort, dans une flaque.

Au même instant, il entendit hurler les chiens. Toute la

meute s'y mit à la fois et apparemment, le gémissement féroce de ces bêtes promettait d'être sans fin. Une barque fut mise à l'eau, puis les phoques furent repêchés et montés à bord. Le chef soutier traversa le pont pour se mettre à côté de lui.

– Ici, on dirait que c'est de tout repos.

Il faisait un signe de tête mal défini en direction de la mer.

– Mais quand ce trou-là se fermera, on pourra bourrer le feu tant qu'on voudra, ça n'aura aucune importance, Johansen.

Le petit homme se redressa.

– Et maintenant, donnez-nous plutôt un peu de vapeur. On ne va pas rester ici à paresser comme les phoques à capuchon, en attendant d'être coincés. C'est bien vers le nord qu'on allait, pas vrai ?

Il fit mine de s'éloigner mais se ravisa et se retourna :

– Monsieur le tireur d'élite, dit-il.

Nansen, les jambes croisées, s'appuyait contre le bastingage. Il mit la main comme une visière au-dessus de ses yeux :

– De la viande fraîche, Johansen, et pour les chiens et pour nous. C'est important. De la viande fraîche.

Tandis que les bords de la glace se rapprochaient et que le trou des phoques commençait à se refermer, la tache de sang s'épaississait dans l'eau. Saisissant des deux mains le garde-fou de l'échelle, il descendit à reculons, conformément au règlement. Sous les chaudières, le feu était bas, il ouvrit la clé de réglage et bourra le feu. Peu après, il entendit le télégraphe de la machine et le navire fendit l'eau avec énergie. De nouveau, on entendit nettement les glaces s'entrechoquer contre la coque. Il essaya de couvrir le fracas avec son râcloir et sa pelle. Mais en vain, et il se consola en pensant que dans peu de temps, cela s'arrêterait ; ce qui s'ensuivrait, il n'en savait rien, mais ce serait le silence, en tout cas. Il n'y aurait plus de bruit.

13

La noix arriva dans le casse-noix. Ils étaient en panne depuis longtemps et il n'avait plus beaucoup de souci à se faire pour les chaudières et le foyer. La vie se passait sur le pont, et dans un cadre plus large, puisque tous les jours, des expéditions partaient à l'est et à l'ouest. Les chiens, à l'attache sur la glace, semblaient aussi impatients que les hommes, quand on les attelait aux traîneaux, ils tournaient la tête, la langue pendante, vers les conducteurs qui s'installaient, saisissaient le fouet et les rênes, les appelaient et les sifflaient. Ils filaient et la mélancolie distraite qui s'était emparée de la plupart d'entre eux quand ils labouraient la mer en direction du nord, de plus en plus loin sans arriver nulle part, apparemment, avait fait place à une énergie nouvelle, suscitée et stimulée par la fuite des traîneaux sur la glace et le rythme familier, qui lui avait manqué si fort, des skis glissant sur la neige de surface. Ici, pas de collines ni de montagnes, rien que des amas de glace, mais il y avait cette sensation de progression, dans les épaules, dans les bras, dans les jambes, même si tout un chacun se rendait compte qu'ils tournaient en rond, il y avait l'aller et le retour, sans compter le butin, avec le fait de savoir qu'ici, ils dépendaient de la compétence de chacun, plus que sur le bateau, où chacun d'eux était une sorte de "spécialiste", certes, mais enfermé dans une routine qui peu à peu devenait automatique, quelque chose de machinal.

Le seul fait de pouvoir marcher était un privilège qui rendait supportable la certitude qu'à présent, ils n'iraient pas plus loin. Certains supposaient que le courant les rapprocherait tout seul de leur but imaginaire ou réel, bien qu'ils fussent prisonniers de la banquise, mais ce projet se mesurait par rapport aux étoiles, on le sentait passablement irréel, c'était peut-être même une contre-vérité. Il savait que c'était vrai puisque depuis qu'il était tous les jours sur le pont avec les instruments, il suivait le mouvement du "Fram" que l'on ne pouvait qualifier que de stagnation, tant le navire était congelé. Ce mouvement, pourtant, dans un silence mortel, n'en procédait pas moins d'une coopération intense entre la mer et le ciel, du mouvement circulaire infini au sein de la grande voûte céleste et des courants profonds de la mer qui œuvraient sous la quille. Cela suffirait-il à les amener à une distance raisonnable du Pôle Nord? Personne ne le savait, tout reposait sur des suppositions basées sur une certaine réalité, c'était comme un rêve qui lui aussi est tout à fait abstrait mais qui ne peut s'épanouir sans tous ces supports concrets, ces coulisses de la réalité que chacun peut voir et toucher à l'état de veille.

Dans les ténèbres qui couvaient désormais presque jour et nuit, il aurait juré que les étoiles parlaient. Quand il contemplait, pris de vertige, leur teinte verte, irisée, et qu'il les voyait danser, scintillantes, incertaines, dans le tube du télescope, elles émettaient un tintement ou un crissement qui courait comme un frisson sur sa tête. Le bruit s'évanouissait quand il reposait l'appareil, et pourtant, il continuait à l'entendre dans son oreille interne, comme un carillon. Sans en être tout à fait convaincu, il se disait que cette musique devait être due aux mouvements de la banquise. De nouveau, il lui était impossible d'en parler à personne. Pourquoi? Il savait simplement qu'il ne pouvait ni ne voulait le faire. La souris aussi avait été un secret jusqu'à ce qu'on l'ait découvert, mais ce secret-là, personne ne pouvait le percer, il le sentait.

Ce fut un soir où il se trouvait sur le pont avec la longue vue que les sérieuses compressions de la glace commencèrent. Il était seul, mais quand le bruit augmenta et que le navire fit mine de se secouer, puis de s'arc-bouter, et qu'un craquement s'ensuivit, les autres ne furent pas longs à émerger. La lumière électrique produite par le générateur ronronnant formait des taches jaunes sur la neige en traversant les hublots. Mais sous la pression de la glace, les taches de lumière immobiles se mirent à vibrer, à se décaler en prenant des formes irrégulières. On eût dit qu'un immense étau, ou qu'un casse-noix, littéralement, avait saisi le "Fram". Le projecteur du pont capta Nansen par-derrière au moment où il sortait, en grandissant son ombre sur la paroi du kiosque de la barre. Un vrai troll norvégien, avec ses épaules qui tanguaient chaque fois qu'il empoignait le bastingage. Il y avait de la sorcellerie dans l'air puisqu'ils allaient savoir si la balance pencherait du bon ou du mauvais côté.

Le capitaine devait sortir tout droit de sa couchette, sa cape flottait sur ses épaules et l'on voyait la lueur de sa chemise blanche. Il s'appuya au garde-fou, l'œil scrutateur. La lumière venant du bas éclairait son visage, sa barbe noire étincelait. A chaque expiration, un nuage de blancheur se formait autour de leur visage, et à mesure que la banquise serrait plus fort, leur souffle se faisait plus court, et le charpentier, qui se tenait juste en bas, sur le pont, mit une main sur son cœur.

– Il se soulève, déclara le chef de l'expédition d'une voix forte, mais personne ne répondit, ils étaient tous trop occupés à enregistrer le mouvement avec les pieds, avec tout le corps. Pendant un instant de mal de mer, leur impression d'enserrement et de rétrécissement se mua en panique : une plaque de glace, apparemment, s'engageait latéralement sous le "Fram" et faisait basculer le bateau vers le haut, si bien qu'il se pencha et qu'ils durent se rattraper et s'accrocher à ce qui leur tombait sous la main. C'était une main sortie des profondeurs qui se dressait soudain, menaçante, mais alors, le bateau se redressa et comme une nouvelle masse de glaces commençait sa pression, ils se sentirent soulevés comme dans un ascenseur. Pas de plus d'un demi-mètre, sans doute, mais ils leur sembla que c'était davantage, et en levant la tête vers le ciel, il se dit : dans une seconde, je pourrai toucher les étoiles.

– S'il a vraiment raison, cet Archer doit être un démon...

Sverdrup cligna des yeux. L'humidité de son haleine avait givré sa barbe.

– La science n'a que faire de l'aide des enfers. Elle est exacte, elle sait...

Nansen avait posé les mains sur le volant.

– On ne peut pas construire quelque chose d'infaillible, Bon Dieu, pardonnez-moi de vous le dire, docteur.

Le capitaine cracha.

– Vous n'avez jamais entendu parler de l'imprévisible ?

Nansen branla lentement du chef, sa barbe se dessinait sur la dunette.

– J'ai entendu parler du calcul des probabilités, et de ce dont il faut tenir compte dans ce contexte. Je ne suis pas étranger à une certaine... incertitude. Mais elle existe pour être surmontée.

Un violent grondement de la glace cloua le bec des deux supérieurs, mais quand l'écho se fut éteint, le chef de l'expédition sentit malgré tout qu'il devait ajouter quelque chose.

– J'ai examiné les nerfs, dit-il, j'ai trouvé que le lien qui les sépare était ténu et que néanmoins, leurs signaux se transmettent nettement et rapidement, peut-être à cause de cette ténuité, justement. Cela m'a surpris, on ne s'y serait peut-être pas attendu, et poutant, c'était prévisible. Comme tout le reste. Si on se donne du mal, si on réfléchit, si on se sert de sa tête.

Le grand homme se frappa le front de son poing fermé pour souligner ses dires, mais il dut vite se raccrocher, car un nouveau mouvement du "Fram" faisait tanguer le pont.

– "Fluctuat, nec mergitur", je ne sais si la phrase convient ici, docteur, je ne trouve rien de mieux, mais j'espère que j'aurai raison.

Nansen éclata de son rire de phoque et toussota.

– La pression engendre une contre-pression, dit-il, mais il s'agit aussi d'élasticité. L'élasticité et la forme, voilà ce que j'apprécie. Et je vais vous dire qu'Archer, le constructeur du navire, pense comme moi. Il le sait, et il sait également que dans certaines situations, il faut se laisser aller. C'est pour cela que le "Fram" est construit comme il l'est!

Comme si cela suffisait, maintenant, les mouvements s'arrêtèrent, et lorsqu'ils escaladèrent le bastingage ou descendirent par l'échelle pour marcher sur la glace, ils virent que le bateau, qui penchait légèrement à tribord, se tenait solidement debout sur la banquise, au milieu des monuments de glace. La lune apparue approfondissait le silence, nul ne disait mot. Le bateau dans le ventre duquel ils étaient restés si longtemps était comme une ombre noire qui les contemplait de ses yeux lumineux et vivants. Qui avait sauvé qui et pourquoi, personne n'eût pu le dire, mais à cet instant-là, un sentiment de triomphe puissant et sourd émanait du navire, et ils tâchèrent d'en tirer parti. Ils s'en sortiraient, leur condamnation était différée, leur juge était haut placé, il arrangerait sûrement tout pour le mieux, et jusque-là, cela avait marché. Cette expérience invitait à l'humilité et à un brin d'espièglerie, alors, ce soir-là, plusieurs d'entre eux s'enivrèrent, en dépit de l'interdiction. Mais ce fut une cuite modérée.

– C'est maintenant, dit le charpentier en se recouchant, la bouteille d'eau-de-vie à la main, c'est maintenant qu'elle devrait être là. C'est maintenant qu'elle devrait être là, hein, Johansen. C'est maintenant que ça ferait du bien!

Une faible agitation venant de la chambre d'à côté révélait qu'on y bougeait aussi.

– Ah, une paire de nénés autour des oreilles et une paire de fesses dans les mains… aaahhh…

Il regardait fixement le plafond, puis il ferma les yeux.

– Hein, Hjalmar, ça ne serait pas le rêve ?

– Si.

– Quoi ?

– Si, je te dis.

– Mais quoi ?

– Ça serait – un rêve. C'est tout. Puisque ça ne peut rien être d'autre.

– Quoi ? C'est ce que tu dis ? Un rêve ? Quand l'épée glisse dans le fourreau ? Quand c'est tellement bon qu'on sent un rouleau ardent de fil de fer barbelé de six mètres de long s'étirer du cerveau jusqu'au trou du cul ! Un rêve ? Ah, non. Tu sais ce que c'est ? Un cul. Un vrai cul superbe à prendre à pleines mains. Mais pour ça, il va falloir attendre un an, au bas mot.

Il avait porté la bouteille à sa bouche et têtait le goulot en gardant les yeux ouverts. Son sexe faisait une bosse sous son pantalon de drill. Le silence du navire était presque compact, mais de petits bruits, ici un rire étouffé, là un craquement, faisaient vibrer l'air. Pas un d'entre eux n'avait encore vécu une année isolé ainsi, Pas un d'entre eux ne connaissait pour de bon la profondeur et l'étendue des ténèbres, il y avait entre eux un sentiment de capitulation, qui s'exprimait, en ce moment précis, par des facéties ou quelque chose d'approchant. Dehors, la pression de la glace avait cessé et le navire chevauchait sur la vague gelée, mais à bord, l'air était étouffant et cela lui pesait. Un instant, il envisagea de se rendre. Arnljot était son ami, il était jeune et lisse, malgré sa barbe, personne n'avait besoin de rien savoir, c'était comme avec le sergent, tout et rien, c'était cette ardeur soyeuse et le bref instant où tout se résoud dans les flammes, il y avait cette aspiration et cette grosse libération, mais il y avait aussi la honte, les réflexions qui s'ensuivraient, il y avait un prix à payer, fallait-il qu'il le paie à cet instant même, que ce soit lui qui paie, le jeu en valait-il la chandelle ?

Il sortit de la cabine et suivit le corridor pour monter par l'échelle. Le pont était désert, mais un mouvement sur la glace retint son regard. Les chiens tournaient la tête vers lui. Leurs ombres grandissaient sous le clair de lune, ils gémissaient faiblement, ils attendaient, affamés, et leurs yeux brillaient. Plus loin, une nouvelle ombre approcha et un personnage se dessina, à contre-jour par rapport à la lune. Le crissement de ses bottes sur la glace le précédait.

– Vous n'êtes pas encore au lit ?

La moustache du chef de l'expédition était blanche de givre. Ses mains gantées s'appuyèrent sur le bastingage.

– J'ai réfléchi à une chose, Johansen. J'ai pensé...

Pendant un long moment, il resta muet, puis il poursuivit. La lune ressemblait à un disque décoratif qu'on aurait pu décrocher.

– Je n'aime pas les "si", je préfère la certitude. Je veux savoir. Comprenez-vous cela, jeune homme ? Je ne peux pas me laisser arrêter par des hasards.

La voix était ferme, pourtant, autour des mots prononcés, il y avait une sensation éthérée qui n'avait pas encore trouvé de direction, ce fut l'impression qu'il en eut.

– Nous ne pouvons pas rester ici éternellement, je le sens très fortement. Nous devons continuer. Vous comprenez ?

Il n'avait aucune idée de ce qu'il devait répondre et se tut. Mais ce grand homme l'attirait violemment. Pourquoi cette familiarité ?

– Maintenant, nous avons la certitude que le courant nous mène dans la bonne direction, cela ne fait aucun doute. Mais c'est lent, trop lent. A ce train-là, jamais nous n'arriverons au pôle.

A cet instant, un nuage pâle, haut dans le ciel, passa devant la lune, sa face se voila. Simultanément, un rideau rouge-vert d'aurore boréale se déploya comme une vague au-dessus du désert glacé, une courbe graphique gigantesque, ondoyante, tracée par une main à la fois calme et nerveuse.

– Si nous bougeons au lieu de nous laisser porter, ce sera différent. Au lieu de laisser le hasard décider, ne vaut-il pas mieux prendre les choses en mains ?

De nouveau, une question dont il ne connaissait pas la réponse. Mais en pensant au voyage à la rame le long de la côte du Groenland et à l'expédition sur la banquise, en pensant avant tout à la haute silhouette qui avait pris ses skis sur son dos et continué à pied quand il n'y avait pas assez de neige pour se rendre de Kristiania à Bergen, il éprouva une sorte de certitude sauvage inexplicable qui le réchauffa et l'excita, en lui donnant le sentiment que tout était possible, que l'on pouvait tout faire, que l'étroitesse et l'emprisonnement n'étaient pas une nécessité, que l'on peut résister aux pressions, mais que la pression recèle aussi une splendeur aux effets libérateurs. Derrière eux, le bateau chevauchait la banquise, avec sa carène intacte, le clair de lune réapparut.

– Avec vingt-huit chiens et quatre traîneaux, deux kayaks et des provisions, il est possible d'atteindre le Pôle Nord, c'est un fait. Mais je ne peux pas le faire seul. Nous devons être deux.

Son cœur allait bondir dans sa poitrine. Les yeux de Nansen brillaient.

– Vous êtes jeune, Hjalmar Johansen. Je vous ai observé. Vous êtes fort. Vous avez embarqué avec nous et depuis, vous avez eu la figure noire de charbon. Vous n'avez pas fait d'histoires. Je crois que vous êtes mon homme.

Ni l'un ni l'autre n'avaient remarqué que les chiens s'étaient agités. Ils virent qu'ils s'étaient tous levés, la tête rejetée en arrière. Un peu plus tard, le chien de tête se mit à hurler et les autres prirent le relais. La voix du charpentier couvrit ce vacarme.

– Johansen, criait-il, où est-ce que tu es passé, bon Dieu ? Johansen !

Le docteur changea d'expression, il prit un air sérieux. Puis il se remit à sourire.

– Le plumard nous appelle, dit-il, c'est l'heure d'aller au lit.

Il leva la main.

– Mais réfléchissez-y mon petit. Être le premier au Pôle Nord, cela vous dirait, non ?

Les chiens, redevenus silencieux, s'étaient couchés. Au même moment, une bouteille vide s'écrasa sur la glace. On entendit un juron.

Il sentit la main de Nansen sur son épaule.

– La poubelle est grande, mais demain, nous ferons le ménage. Bonne nuit.

– Bonne nuit.

Comme il avait hésité à répondre, il répéta d'une voix ferme :

– Bonne nuit. Et merci.

– De rien.

Après être remontés bord, ils partirent chacun de son côté, Nansen vers l'arrière, et lui devant le mât. Comme il se devait.

14

Avec son cerveau de mathématicien et ses connaissances scientifiques, il savait parfaitement qu'ils ne restaient pas immobiles. Tout coincé qu'il fût dans les glaces, le “Fram” avançait et reculait vers le sud et le nord au gré des courants marins qui passaient sous le couvercle blanc ; de plus, la rotation de la terre ne s'arrêtait pas non plus, même s'ils paraissaient être totalement immobiles. Sans cesse, la planète vélait de ce qui suivait, et ainsi de suite, mais seuls les initiés le savaient ; pour les observateurs ordinaires, ils étaient pris dans un étau et ne bougeaient pas d'un pouce, ni dans un sens ni dans l'autre. Cette impression étrange, quand ils en étaient trop conscients, leur donnait le sentiment que leur tête se liquéfiait, comme si elle était totalement libérée et pourrait naviguer, s'il le fallait, n'importe quand et dans n'importe quelle direction.

Dans d'autres circonstances et s'agissant d'autres hommes, on eût pu imaginer qu'ils risquaient de succomber à l'accablement. Ce n'était pas une semaine ou deux qu'ils devaient se préparer à passer dans la glace, mais une année, peut-être plusieurs. Mais ils n'étaient pas non plus de gens ordinaires, chacun de ceux qui se trouvaient à bord avait embarqué grâce à ses qualités particulières et parce que cette expédition polaire à bord du "Fram" réalisait un rêve, une chose pour laquelle ils s'étaient tous battus, chacun à sa manière. On ne leur avait pas caché qu'ils seraient pris dans les glaces puisqu'Archer, le constructeur du bateau, avait conçu un bâtiment calculé pour être pris dans la glace sans être écrasé. Leur progression avait eu pour but cette immobilité à la mobilité programmée. Il fallait, sauf leur respect, qu'ils soient faits prisonniers pour pouvoir aller plus loin !

Il ne faisait aucun doute que les chiens étaient les mieux lotis. Après leur incarcération prolongée dans le navire, ils jouissaient de ce paysage de glace comme des veaux au printemps, lorsqu'on les mène au pré pour la première fois. Quand on les attelait aux traîneaux, il fallait un surcroît d'énergie et d'autorité pour les diriger ; dès l'instant où les rênes se relâchaient, ils filaient comme s'ils voulaient échapper à leur maître et aux lourds fardeaux qu'ils traînaient, tout en ayant assez de réserves pour faire fi de tout, pourvu qu'on les laisse courir, se dépenser, et remplir le rôle dévolu par leur dressage et leur généalogie. “Ihih !”, criaient les hommes, et les vrais experts faisaient claquer leur fouet en parvenant à toucher, du bout de la lanière, le museau du chien de tête.

Les quarts quotidiens leur laissaient pas mal de temps. Le “Fram” était shipshape et même si la nuit polaire pesait au-dessus d'eux comme un sac sans fond, ou si le ciel, debout, scintillait d'étoiles, ils ne manquaient pas de lumière, grâce à une éolienne sur laquelle on avait branché une série de batteries. Il pouvait donc passer des heures à lire dans la chambrée de l'équipage et il s'aperçut que son manque d'entrain de jadis, quand l'étude était une contrainte, disparaissait à mesure que les heures et les jours passaient. Il fut surpris de constater que c'étaient non seulement les manuels de météorologie, de navigation, de mathématiques et de physique qui le captivaient, mais aussi des œuvres littéraires. Le choix était restreint et il ignorait tout de la personne qui s'était chargée d'emporter des romans, – la place étant limitée – mais quand il en arriva à savoir par cœur toutes les pages des livres scientifiques, il regarda du coin de l'œil les volumes au dos de cuir brun, sur l'étagère, et après en avoir pris un et s'être mis à sa lecture, il découvrit, étonné, qu'il ne pouvait plus s'arrêter.

Sous le charme et presque au bord des larmes, il reposa “La Case de l'Oncle Tom”. C'était comme s'il découvrait un aspect inconnu de sa personnalité, il en fut à la fois effrayé et élevé. Cela ne s'améliora pas quand il s'attaqua aux “Hauts de Hurlevent”, un livre qui l'obligea au début, selon lui, à mener un rude combat pour suivre l'intrigue et ne pas lâcher prise, mais qui en revanche, à mesure qu'il avançait dans sa lecture, le fit rebondir comme une balle à travers ses sentiments de façon tout à fait inattendue. Sa cabine, le bateau, l'équipage, les chiens, la banquise, tout disparaissait, il vivait dans un pays étranger, dont il s'apercevait, stupéfait, que c'était le sien. Les personnages qui l'occupaient lui étaient, certes, totalement inconnus, mais ils devenaient à tel point une part de lui-même qu'ils auraient tout aussi bien pu être sa création. C'était vertigineux de pouvoir faire sien, tout à fait naturellement, un milieu qui lui était aussi totalement étranger, et de s'apercevoir en outre que les sentiments éprouvés et exprimés par les personnages étaient aussi les siens, simplement agrandis et rendus plus fougueux et plus passionnés qu'il ne les avait jamais éprouvés lui-même.

Le charpentier, bien entendu, ne pouvait s'empêcher de le taquiner quand il arrivait en trébuchant dans leur cabine commune, le regard à moitié fou et les yeux enflammés par la lecture.

– Alors, Hjalmar, tu es saoûl ?

Les bras sur la couchette du dessus, il l'observait, la tête sur les mains jointes :

– Tu sais ce que le chef pense de l'alcool, gamin.

C'est réservé aux grandes occasions, et mesuré à la petite cuiller...

– Je ne suis pas saoûl.

– Mais tu es ivre ?

– Je ne sais pas...

– Non, tu ne sais pas, mais je sais, moi. Quand on lit des livres comme tu le fais, on devient fou.

Il leva la tête.

– Comment le sais-tu ? As-tu jamais lu un livre ?

– Surtout pas. Mais j'en connais qui l'ont fait. Et ils deviennent fous.

– Quelles bêtises.

– C'est comme la lèpre. Tu le savais ? Quand on appuie sur la racine du nez des gens et que leur nez s'enfonce, c'est qu'ils ont la lèpre. C'est la même chose pour les gens qui lisent.

– Quelles bêtises.

– Viens-là. Si j'appuie mes deux pouces sur la racine de ton nez et que ça s'enfonce, c'est que tu es en train de te ramollir. A force de lire.

Arnljot lui saisit la main.

– Viens-là. Descends. Que je t'appuie sur le nez pour voir.

– Arrête de dire ça.

– Ah, tu te prends pour quelqu'un. Voilà ce qui arrive aux gens qui lisent. Ils se prennent pour quelqu'un.

Le charpentier lui lâcha la main.

– Je crois que tu es en train de te décoller, Hjalmar. Je crois que tu es en train de ramollir.

Il avait peut-être raison, car quand il s'allongea sur sa couche et ferma les yeux, les images n'arrêtèrent pas de venir, et étrangement, celles qui surgissaient pendant ses lectures se mêlaient aux images issues de la réalité qui l'entourait et à celles qu'il portaient en lui du plus loin de son enfance, au temps où il n'avait aucune idée de ce qu'il était ni de ce qu'il deviendrait. Il revoyait son père avec sa lanterne, mais son père se transformait en un noble étranger debout sur un rocher, bombant le torse contre la tempête, les plis de sa cape ondulant derrière lui, et il se voyait comme un petit nègre, non il ne se voyait pas : il était ce marmot noir, mais comment pouvait-il l'être puisqu'il se savait norvégien et qu'il s'appelait Hjalmar Johansen ? Cela lui échappait, même s'il en avait l'intuition. S'il continuait ses lectures, l'explication viendrait peut-être toute seule, de toute manière, il savait qu'il ne résisterait pas à l'attrait des romans, qu'il n'en avait jamais été ainsi auparavant et que rien n'était plus comme avant. De temps à autre, il craignait qu'il n'y ait pas assez de livres sur la petite étagère, et il se rationnait – peut-être aussi parce qu'il essayait de ne pas devenir tout à fait aussi fou que le charpentier le lui avait prédit, en sentant parfois qu'il l'était déjà. Il se penchait à la dérobée sur le miroir à raser accroché au-dessus de la cuvette et se pressait de deux doigts la racine du nez, mais rien ne se passait.

La première fois qu'il vit un ours, il était seul sur la glace avec huit chiens. Son fusil était dans le traîneau et quand il aperçut l'animal, il lâcha les rênes et les chiens s'arrêtèrent d'eux-mêmes, ils reniflaient, immobiles, silencieux, la queue levée. Seule leur haleine faisait comme un faible bruit râpeux, il entendit la sienne quand enfin, il reprit son souffle et respira de nouveau profondément. L'ours, debout contre le vent, à cinquante mètres d'eux, ne les avait pas repérés. Il se pencha en avant et saisit son fusil qui n'était pas armé et avait une cartouche dans le chargeur. La sensation éprouvée autrefois sur le champ de tir lui revint, il sortit du traîneau presque avec dignité, certain qu'il allait faire une chose qu'il maîtrisait et qu'il ne devait avoir peur. Tous ses mouvements étaient soigneusement mesurés, même quand il leva la main pour faire signe aux chiens de se taire et de ne pas bouger. En se ramassant simplement un peu sur lui-même, il avança en direction de l'ours qui ne le remarqua que quand il fut à vingt-cinq mètres de lui. Tandis qu'il se mettait à genoux pour trouver une solide position de tir, l'ours se leva sur ses pattes de derrière et devint plus grand qu'aucun être vivant qu'il eût pu imaginer, à l'exception des baleines qu'il avait vues lever une queue fendue gigantesque avant de disparaître dans les profondeurs sous-marines. Là, il avait affaire à un géant debout, et tandis qu'il se préparait et visait, une image lui revint et il s'entendit murmurer : “Heathcliff, Heathcliff”, tout en voyant, au même instant, que l'ours s'était mis à marcher à sa rencontre. Aucune fièvre ne le prit, rien qu'un frémissement cutané, et quand, du pouce, il arma son fusil, ce frémissement se propagea jusqu'à son index qui sentit comme un chatouillis le froid lisse de la détente. On eût dit que l'ours s'offrait, qu'il s'était dit à part lui : "Me voici, prends-moi, prends-moi", et lorsque le géant eût empli tout son champ de vision et qu'il ne fit plus qu'un avec tout cet univers blanc, il visa au cœur, tira, et sentit le recul comme une caresse en entendant le tonnerre du coup de feu, dont l'écho ne cessait de lui revenir de tous les points cardinaux, accompagné du hurlement des chiens qui s'était déclenché au même instant. A cinq mètres de lui, l'ours trébucha, pirouetta pesamment et se coucha dans la neige. Son odeur de bête sauvage, âcre et huilée, le ramena à la réalité, et quand il vit que l'animal n'était pas tout à fait mort, il se leva et s'approcha prudemment. Curieusement, l'ours couché là, saignant dans la neige, paraissait plus petit que lorsqu'il s'approchait en dansant, et il pensa que tout se rétrécit peut-être, lorsque la vie s'éteint. L'animal le contempla, engourdi, d'un grand œil brun, quand il leva son fusil pour lui donner le coup de grâce. La décharge lui brisa le crâne.

Un livre qu'il avait évité pour une raison ou pour une autre, ou peut-être au contraire gardé pour la fin comme une récompense supplémentaire, le désorienta et le mit en colère tout à la fois. Il était écrit par ce petit homme aux cheveux blancs, au chapeau haut-de-forme et au pince-nez. "Le Canard sauvage". Il trouva que ce livre allait trop loin. Il était ému, mais son sentiment d'autrefois, de ne pas pouvoir suivre, de ne pas pouvoir aller au fond des choses, de n'être pas assez adulte, l'écrasa. Qu'étaient donc ces inimitiés ? D'où venait la méchanceté qui s'exerçait là ? Pourquoi fallait-il sacrifier cette petite fille, qui était la bonté même ? Il ne le comprenait pas, il ne comprenait pas non plus pourquoi il se sentait attiré par le personnage qui proférait les répliques les plus dures et les plus cyniques de la pièce (parce que c'était du théâtre), et pourquoi il ressentait un mépris aussi violent pour l'être faible, gentil, qui n'aurait pas fait de mal à une mouche mais qui, néanmoins, était à l'origine de tous les malheurs.

Il regarda avec soulagement les hommes de l'équipage occupés à leurs travaux manuels devant la table, sous la lumière qui vibrait légèrement au-dessus d'eux. Ici, chacun d'eux savait qu'ils dépendaient les uns des autres, qu'il n'y avait pas de place pour les excès, et tout à coup, le fait d'être coincé par une situation tangible lui fut sympathique. C'étaient des hommes, rien que des hommes. Des adultes expérimentés qui effectuaient une mission. Ils pourraient supporter des épreuves incroyables et même si la plaque de glace sur laquelle ils naviguaient les conduisait directement dans l'éternité, ils conserveraient leur sang-froid. Ils avaient pris une décision, réalisé un rêve, ils pouvaient faire n'importe quoi.

Il leva les yeux de son livre. Mais lui, de quoi était-il capable ? Pourrait-il faire ce qu'il devait ? L'ours mort en donnait une preuve et ce n'était pas un canard, ni sauvage, ni domestique. Une fois scié et dépecé, sa peau étalée faisait presque cinq mètres carrés. Nansen lui avait mis la main sur l'épaule pendant qu'ils contemplaient le cadavre dans la neige imprégnée de sang.

– Ces choses-là, on s'en souvient, Johansen, avait-il dit.

Cela voulait dire ce que cela voulait dire. Le chef de l'expédition avait raison. Mais il y avait autre chose, quelque chose de plus impalpable qu'il s'expliquait mal. Il revoyait l'ours en vie et ce qu'il en restait. Cette différence-là, il n'y avait encore jamais pensé. Peut-être cela ne valait-il pas non plus la peine de s'y attacher, mais que la différence fût frappante, personne ne pouvait l'ignorer. C'était de ces choses-là que parlaient les romans, bien qu'ils disent tout autre chose. Il n'était pas sûr, il n'était absolument pas sûr, comment l'eût-il été ? Juste en ce moment, il ne se souvenait que de l'ours aux bras ouverts, quand il était venu à sa rencontre. Comme pour l'inviter à danser.

15

Naguère, quand il s'était libéré pour essayer de se joindre à l'expédition, la nostalgie l'avait presque submergé. Il était prêt à tout sacrifier pour que son souhait soit exaucé et même s'il n'y avait pas grand-chose à sacrifier, il sentait qu'il y allait de sa vie et qu'il était prêt à la sacrifier aussi. Un refus eût été une telle déception qu'il n'aurait pas pu voir la vie en face. Mais il gardait aussi un secret, car au moment où il s'était trouvé sous la marquise avec Nansen, sous la pluie, il avait su que sa fortune était faite. D'où il le savait, et la nature exacte de ce qu'il savait, il n'aurait pu l'expliquer, cela venait de l'intérieur, c'était un sentiment, une intuition, mais cela venait aussi de l'extérieur, cela se déversait de la personne du grand homme et se lisait dans ses yeux.

Ces yeux renfermaient tout et quand il s'y reflétait, il ne voyait pas seulement un obscur contour de lui-même en deux exemplaires, il pénétrait loin, loin, dans un paysage constamment changeant, profond et malicieux, infiniment clair et sombre, qui s'étendait jusqu'à l'horizon et plus loin dans l'inconnu, où des éclairs d'intelligence et de perspicacité brillaient, attiraient et trahissaient des expériences vécues et une vision d'ensemble qu'il n'aurait jamais imaginé approcher personnellement, mais dont il voulait participer malgré tout. Il avait été prêt à s'humilier et l'avait fait en acceptant la place de soutier à bord du "Fram", mais cette humiliation n'en était pas une, au contraire, puisqu'elle l'avait conduit tranquillement jusqu'au degré d'avancement dont il avait rêvé. L'humilité de sa position restait inchangée, mais ses tâches principales s'exerçaient sur d'autres plans plus élevés, et comme le feu était éteint depuis belle lurette sous les chaudières du bateau, il pouvait se concentrer sur ces autres tâches tout en observant le chef de l'expédition, sans attirer l'attention – parce qu'entre autres, sans le savoir, chacun d'eux se référait à Nansen, suivait ses pas, interprétait ses mouvements, relevait ses gestes et sa mimique pour essayer de deviner ses désirs, avoir, peut-être, une idée de ses projets, et pour obtenir en tout cas une justification de leur propre présence dans cette situation difficile que pas un homme ordinaire n'aurait acceptée par ailleurs. Tous avaient une vague idée de ce qu'ils cherchaient et en mettant leur cerveau dans une éprouvette, on aurait vu que le Pôle Nord en occupait une grande partie ; la nature de ce qui se manifestait ainsi, aucun de ceux qu'on eût interrogé n'eût pu le dire, car le Pôle Nord n'était rien, sinon une position géographique, une marque abstraite, dotée pardessus le marché de la faculté particulière et absurde de se déplacer constamment et d'avoir été impossible à approcher jusque là.

Parmi les quelques livres de la petite étagère, il avait trouvé un gros volume sur un capitaine qui chassait une baleine blanche. Ce livre lui déplaisait et il tournait autour avec la même réserve que pour la pièce sur le canard sauvage. Mais il n'arrivait pas à décider qu'il n'y toucherait plus, cette histoire, précisément, dégageait un magnétisme qui l'attirait et le brûlait en même temps. Il eut aussi du mal à s'y mettre, pendant toutes les premières pages, il lui sembla patauger dans une boue épaisse. Mais peu à peu, à mesure que l'histoire prenait corps (même s'ils étaient "au repos" en ce moment, il reconnaissait dans son propre environnement de nombreux détails du cadre de cette histoire), il fut captivé et fit même l'expérience étrange que plus le style était épais, plus la situation semblait désespérée, moins il pouvait s'en détacher. Il était prisonnier, comme ils l'étaient et comme l'était Nansen. Ils appelaient cette baleine blanche "Moby Dick" et le jour où il eut l'impression que c'était précisément ce genre de baleine qu'ils chassaient, avec Nansen au gouvernail, il fut pris d'une violente colère. Quand cette idée le frappa, il avait le livre entre les mains et les autres le regardèrent, étonnés, en le voyant se lever soudain pour jeter le livre et s'en débarrasser. Échauffé, il traversa la chambrée, se propulsa sur le pont et se planta devant le bastingage. Dans l'obscurité étincelante, la glace et la blancheur s'étendaient à perte de vue. Un son clair chantait dans l'espace et quand il se rendit compte qu'il s'agissait du petit bourdonnement de l'éolienne, il se calma et serra plus fermement le bastingage. Cela se passait en d'autres temps, se dit-il, les siens, c'étaient les temps modernes.

Cette idée fut si rafraîchissante qu'il poussa un petit soupir, comme les petits garçons quand ils ont pleuré tout leur saoûl. Ce fut une sorte de bienheureux allumage à retardement, même s'il s'était forcé à raisonner ainsi, cela représenta une délivrance certaine. Il était heureux. Heureux parce qu'il comprenait qu'il vivait à une époque moderne, qu'il était un homme moderne sous les ordres d'un homme moderne. Il était un serviteur et c'était la science qu'il servait, la science qui renfermait à la fois la récompense et la libération. De même que Nansen, indéniablement, faisait ce qu'il fallait, lui-même le faisait aussi à sa façon. Ils se basaient sur de froides expériences scientifiques, il n'y était question d'aucune sorte de métaphysique ou de mystère religieux, pas plus que d'une baleine fabuleuse ou d'autres monstres imaginaires, mais d'un but défini, qui se déplaçait, certes, mais pas suffisamment pour être ingouvernable. Ici, il y avait avant tout une "terra incognita" qu'il fallait explorer et s'approprier, et ceux qui venaient en faire la conquête n'étaient ni des barbares ni des chasseurs primitifs mais des hommes blancs adultes éduqués, expérimentés et rationnels. Sous la conduite d'un génie.

Ces réflexions furent comme une révélation et il sentit son excitation nauséeuse faire place à de la tranquillité, ses épaules reprirent leur place, sa vue s'éclaircit. Si quelqu'un le lui avait demandé, il aurait pu compter chacune des étoiles du ciel et à cet instant, il aurait aussi pu les décrocher, l'une après l'autre, pour les porter dans sa main. Pourtant, chaque fois qu'il passait devant l'étagère, il ressentait le choc de ce trouble magnétisme qui l'attirait de plus en plus et quand il y cédait, il se rasseyait à la table et lisait, lisait, avec le même sentiment de culpabilité érective que lui donnait le souvenir du sergent et de son grossier exhibitionnisme et qui lui revenait de même lorsque le charpentier se lançait dans ses obscénités charnelles, pourtant bien innocentes. "On m'appelle Ismael"- Hjalmar ne se cachait-il pas sous ce nom, lui aussi ? Il sentait tout son visage s'empourprer et voyait au même instant la grande fille brune aux larges épaules traverser la pièce. Ce n'était pas elle, bien entendu, et tout ce qu'il s'imaginait et qui prenait vie de plus en plus, à mesure que se prolongeait de leur emprisonnement dans la glace et dans les ténèbres, et à mesure qu'il avançait dans sa lecture, ce n'était pas la réalité, bien entendu. C'était dans les autres livres qu'il la trouvait ; à un moment donné, il décida de se concentrer sur ceux-ci et de mettre les autres de côté, ces livres dangereux. Il savait aussi qu'il en était incapable, mais le hasard le délivra, car le dernier volume de l'étagère était un livre américain qui racontait l'histoire de deux garçons qui descendaient ensemble le Mississipi et dont l'amitié se renforce sans cesse à mesure qu'ils sont confrontés à davantage de défis et de dangers. "Huckleberry Finn", c'était le titre du roman, et il l'adopta comme on attrape une bouée de sauvetage quand on se noie. Alors que les autres œuvres l'avaient inquieté et désorienté, mais aussi fortement attiré, cette histoire-là fut comme une délivrance qu'il ne comprit pas à fond tout d'abord, parce qu'elle lui était personnellement trop étrangère, sans parler de la situation dans laquelle il se trouvait, mais il finit par s'aviser que ce devait être la bonne humeur qui libérait ces deux garçons, leur rire innocent, leur certitude qu'il devait y avoir un ciel plus clair au-dessus de la tristesse, que malgré l'obscurité qui couve, il y a quelque part un endroit où le soleil brille, où l'on trouve la chaleur et la sécurité maternelles dont il se souvenait lui-même. Ce devait être l'explication de cette légèreté, mais il n'avait personne à qui le demander, puisque ceux qui se trouvaient devant le mât considéraient sa manie de lecture comme une bouffonnerie qu'ils toléraient, sans que l'idée leur vienne qu'ils pourraient la partager, quant aux officiers, sur ce point-là, ils étaient inabordables, du reste, dans le cas contraire, que leur eût-il demandé ? Seul Nansen… (car d'après lui, ce devaient être ses livres) avait peut-être une réponse, mais l'idée de s'approcher de lui par ce biais était totalement impensable. On ne dérange pas un homme sérieux pour poser des questions triviales et comiques sur de l'humour littéraire, il aurait, tout au plus, récolté un éclat de rire méprisant ou un hennissement de refus bien mérité. Il en était sûr.

Un matin où le navire était pratiquement dans le coma, on frappa à la porte de la cabine où ils dormaient, Arnljot et lui. Les interruptions dues à leurs quarts leur valait un sommeil profond quand ils se couchaient, cependant, on eût dit que cette nuit constante tendait si fort n'importe quel état inconscient qu'une électricité statique crissante maintenait chez eux, jour et nuit, une certaine strate en éveil. Il entendit d'ailleurs les coups frappés à la porte comme un appel dont il avait toujours su qu'il viendrait, pourtant, il fut étonné quand il vit le chef de l'expédition debout devant la porte, dans l'étroite coursive. Nansen parla sans attendre, et sur un ton de commandement militaire.

– Excusez-moi de vous déranger en dehors de votre quart, mais j'ai quelque chose d'important à vous dire. Avez-vous un moment, Johansen ?

La question était si inhabituelle qu'elle lui parut embarrassante. En tout cas, elle le déconcerta et il ne sut que dire ni que faire. C'est pourquoi il ne dit rien.

– C'est une affaire que j'ai passé pas mal de temps à soupeser, et ce n'est qu'à présent que je suis parvenu à prendre une décision. Voulez-vous me suivre ?

D'après le ton de la question, c'était un ordre. Il eut un instant d'incertitude, dans sa chemise de nuit.

– Passez un pantalon et un pull-over et venez me voir à l'arrière. Il fait chaud dans ma cabine. Suffisamment chaud.

La température était à peu près la même partout à bord, et quand il rentra pour s'habiller, le charpentier était réveillé.

– Qu'est-ce que c'était, bon Dieu ? C'était Nansen ?

– Oui.

– Et il parle de quoi ? Il a dit qu'il faisait chaud ?

– Oui.

– Ou qu'il fallait que tu descendes chauffer ?

– Non.

– Alors quoi ?

– Je n'en sais rien.

Le charpentier s'assit sur son lit.

– Tu as fait quelque chose ?

– Qu'est-ce tu veux dire ?

– Peut-être qu'on va te mettre au trou. Il faudra bien que ça arrive un jour.

– Je n'ai rien fait.

– Bien sûr que tu n'as rien fait. Tu ne fais jamais rien. Tu restes toujours plongé dans ces bouquins.

– J'ai tué un ours.

Arnljot se gratta sous le bras en bâillant :

– Tu as tué un ours, oui, mais tu crois peut-être que tu as remporté le gros lot ?

– Je ne crois rien du tout.

Il y eut une pause. Il s'agitait avec inquiétude dans le noir. Alors le charpentier déclara :

– Il t'a à la bonne. Tu ne crois pas que je l'ai vu ? Il te regarde, Hjalmar. Il mijote quelque chose, attends seulement.

– Je ne sais rien.

– Non, tu ne sais rien. Mais au fond, tu sais tout, tu ne crois pas que je t'ai épié ? La chance sourit toujours à des chouchous comme toi !

– Bon, j'y vais.

– Oui, vas-y donc. Et moi, je vais faire un somme. Autant dormir puisqu'il fait nuit tout le temps.

– Bonne nuit.

– Bonne nuit.

Il suivit la coursive d'un pas très décidé et la tête haute et il monta sur le pont. Il ne s'arrêta que devant la cabine de Nansen, se redressa encore plus et frappa trois fois à la porte avec une fermeté disciplinée. La voix de Nansen retentit moins d'une seconde plus tard, cette voix aussi était ferme.

– Entrez !

Sans avoir aucune idée de ce qui l'attendait, il entra dans la cabine ; le chef de l'expédition était assis à un petit bureau formant un angle droit par rapport à l'alcove. Le verre épais du hublot situé derrière lui reflétait la lumière qui l'éblouit un instant. Sur sa tête, Nansen avait posé un fez. Il capta son regard.

– Ai-je l'air exotique ?

De nouveau, une question à laquelle il ne pouvait pas répondre.

– Je me sens exotique. Peut-être parce que j'ai l'intention de résoudre l'énigme du sphinx. Cette situation ne peut pas durer, en tout cas, je suis obligé d'agir. C'est ainsi, et il faut qu'il en soit ainsi. Sinon, comment croyez-vous que nous serions venus aussi loin ?

Il secoua la tête, tout en sentant qu'il aurait dû la hocher. Son trouble augmentait et il continuait à se taire.

– Avec vingt-huit chiens et quatre traîneaux, nous pouvons atteindre le Pôle Nord, même si cela prend une année ou peut-être deux. Nous ne pouvons pas rester coincés ici.

Il ôta son fez de sa main droite et ses cheveux drus se dressèrent.

– Certains le peuvent peut-être, mais pas moi. Et vous, Johansen ?

Il leva impérieusement la main droite.

– Non, ne répondez pas. Je vous ai observé. Je sais que sur le plan pratique, on peut se passer de vous à bord. Votre travail est périmé, et si on avait besoin de quelqu'un à la chauffe, ils sont treize à la douzaine qui peuvent le faire.

Les yeux bleus brillèrent.

– Je crois que vous êtes un rêveur, Johansen… comme moi. Un rêveur aux yeux ouverts. Voulez-vous m'accompagner au Pôle Nord ?

Un mouvement des masses de glace fit bouger faiblement le navire. Nansen baissa la main.

– Non, ne dites rien. Ne dites rien maintenant, Johansen. Il faut que vous ayez le temps de réfléchir, nous en avons tous besoin, j'en ai besoin. Mais demain, il me faudra votre réponse. Voulez-vous traverser la banquise avec moi ?

– Oui.

Dans l'oreille des deux hommes, ce oui fut comme celui que l'on donne à l'église quand on se marie

– Bien. Je savais que vous répondriez ainsi. Que vous répondriez en soldat, en tireur, en savant. Je savais que vous ne pourriez pas attendre. C'est ainsi que l'on conquiert le monde. Demain, je dévoilerai mon plan au reste de l'équipage. Alors, profitez de votre liberté de quart.

Au dernier instant, il se retint de porter la main à son bonnet. Il n'avait pas de bonnet et Nansen n'était pas un sergent. Pourtant, il aurait eu une raison de le saluer, car Nansen était un chef. Cela ne faisait aucun doute, cela n'avait jamais fait de doute, mais ce ne fut qu'à cet instant-là qu'il sut qu'il l'aimait.

16

Ce fut comme une délivrance. Tous comprenaient que s'ils restaient là, dans la glace, à ne rien faire en se laissant dériver, le Pôle Nord ne serait pas à leur portée avant un an, deux ans ou dix ans. Ce qui ne pouvait être ni utile ni supportable pour personne. La décision de Nansen fut donc accueillie avec enthousiasme. Certains y trouvèrent peut-être à redire in petto, parce que ce n'était pas eux que l'on avait sélectionnés pour l'expédition. D'un autre côté, cette excursion comportait tant de dangers que l'ennui de l'immobilité forcée devenait supportable quand on réfléchissait à ce à quoi on échappait. Personne ne le disait directement, c'était simplement dans l'air du temps sur le “Fram”, qui s'apprêtait, sous le commandement suprême de Sverdrup, à rester pris dans l'étau de la banquise jusqu'au changement de saison, jusqu'au retour de la lumière et peut-être à celui des deux hommes, quand ils auraient accompli leur mission, trouvé le Pôle Nord où ils auraient planté le pavillon norvégien.

Durant les préparatifs de l'expédition, une concentration fébrile régna à bord, différente de celle qu'il connaissait dans l'armée, où l'on gonflait l'ambiance, pour les besoins de la cause, de manière à créer une vigilance factice qui devait paraître réelle. A chacun des objets que l'on empaquetait et dont on bourrait les traîneaux, qu'il s'agisse de boîtes de sardines ou des caleçons de laine supplémentaires, des rouleaux de pansements ou des munitions, son sentiment de nécessité absolue augmentait. Tous les calculs se faisaient en concertation avec les officiers et les experts du navire, il ne subsistait pas le moindre doute quant à la vraisemblance rationnelle du succès de l'excursion. Mais ce succès dépendait – c'était tout à fait clair -, du soin et de la réflexion qui entouraient les préparatifs, dont la précision au millimètre près frisait l'idiosyncrasie. Il lisait et relisait avec Nansen les longues listes d'objets de toute sorte qui pourraient être décisifs pour leur survie ; il ne manquait même pas l'étui contenant des aiguilles de différentes grosseurs, qui leur seraient utiles à la fois pour recoudre leurs vêtements et leur peau (s'ils avaient un accident). Non, c'était ce qui leur manquait le moins, et en prenant l'étui de cuir souple pour regarder les aiguilles brillantes alignées, il avait presque la même impression que lorsqu'il graissait ses armes, les tirait et les polissait, ou qu'il manipulait le sextant ou ajustait leurs jumelles pour la énième fois, l'impression qu'ici, à cet instant même, ils se trouvaient exactement au centre du monde moderne, ce que les foules qui se pressaient dans les métropoles ne pourraient jamais ressentir avec la même intensité, même si la chose eût été naturelle, parce que les citadins n'avaient ni le temps ni la capacité de se concentrer, ils étaient trop distraits, tandis que son attention à lui était aiguisée à l'extrême, car il savait qu'ils devraient leur survie à la combinaison de ces objets et de leur intelligence. Il entendait le souffle de l'accélération du progrès technologique et seul l'avenir révèlerait jusqu'où cela irait. Mais en ce moment précis, il se sentait à proximité du sommet de l'échelle, tant les choses étaient sous contrôle, et cela lui réchauffait le cœur de penser qu'il participait personnellement à ce conte de fées, et au privilège que c'était d'être né au sein d'une époque où l'audace culminait et où un seul individu, armé de toutes les inventions de la technique moderne, était en mesure de conquérir ce territoire inconnu et de l'initier à la civilisation. Un siècle plus tôt, les conserves n'existaient pas, même pas une seule boîte de sardines à l'huile.

Juste avant le départ, on distribua aux chiens des rations supplémentaires de toute la viande provenant des différentes excursions effectuées depuis le "Fram" : du phoque et de l'ours, mais aussi des oiseaux : des mouettes et des mouettes tridactyles, des mallamoks et des manteaux noirs. Mais il fallut adapter les rations afin de prévenir la paresse, tout fut donc exactement calculé. Ce fut aussi le cas pour la fête du départ, où l'on servit trois petits verres : un verre de Madère et deux mesures de rhum pour les grogs consécutifs. Après le rôti, le chef de l'expédition fit un discours moins sévère, mais non moins sérieux que celui qu'il avait prononcé lors du départ du "Fram", tant de mois auparavant. Il parla de la nation norvégienne et des conquêtes déjà réalisées grâce à leur force d'âme et à leur courage, qui permettaient de les désigner comme candidats à une place dans l'histoire, puisque chacun d'eux possédait justement ces qualités qui engendrent le besoin de conquête et de percée nouvelle, l'intelligence et le courage qui transforment l'ambition ordinaire en un véritable idéalisme. Il parla du "sacrifice" comme d'un raccourci qui mène à l'accomplissement et de la joie immense que l'on éprouve à se consacrer corps et âme à une mission qui peut sembler impossible, de différents points de vue, mais qui, justement, renferme le défi, augmente les attentes et s'adresse directement à celui qui, par ses qualités intrinsèques et son entraînement, est prêt à s'élever au-dessus de lui-même, à grandir, bref, à devenir un homme.

Ce discours eut pu déboucher sur un toast au roi, mais il n'y avait pas de roi – sinon un roi suédois – on but donc une fois de plus à la santé de la Norvège, on recommença, et quand ils se levèrent, tout le monde, spontanément et à gorge déployée, entonna l'hymne national. Il ne s'agissait pas d'ivresse, c'était plutôt comme si la ration sévèrement mesurée accroissait encore leur sérieux, en même temps qu'une ivresse d'oxygène pur faisaient planer les cœur et les têtes. Il ignorait qu'il pouvait chanter si fort, si bien et si facilement, mais il chantait :

Oui, nous aimons ce pays
qui s'élève au-dessus des flots,
raviné, battu par les intempéries,
avec ses mille foyers,
nous l'aimons, oui, nous l'aimons
en pensant à nos père et mère
et à la nuit légendaire d'où descendent
des rêves sur notre terre.

Quand ils arrivèrent aux lignes invoquant leur père et mère, elles le frappèrent comme un battoir et l'espace d'un instant, ses sentiments faillirent avoir raison de lui. Mais il était en proie à tant d'autres sentiments grandioses qu'il ne leur accorda pas une attention spéciale, il souffrit simplement en revoyant l'ombre d'un homme âgé marchant dans la ruelle, entre les maisons basses en rondins, une lanterne à la main, cherchant son port d'attache avec hésitation. Cela ne dura qu'une seconde, comme la chaleur obscure qui l'inonda lorsqu'il pensa à sa mère : il ne vécut cela que comme un souffle, puis il revint parmi les autres et vit leurs figures enflammées et le charpentier, dont les cheveux blonds avaient glissé, humides, sur son front, ils levaient leur verre, Sverdrup bombait son ventre sous sa veste d'uniforme, et Nansen, plus grand que tous les autres, les passait en revue l'un après l'autre, du regard bleu de son œil d'aigle, en hochant la tête, comme pour marteler son message dans leur esprit et faire comprendre à chacun d'eux que ce qu'il avait dit était à la fois une confirmation et un ordre, une conjuration et une prière.

Ce n'est que lorsqu'ils furent seuls sur la glace que le souvenir de cette dernière période s'enracina en lui et devint un écho répété en cadence par le son des skis sur la croûte dure de la neige et par le léger grincement des rênes des chiens. Longtemps, ils distinguèrent le contour du bateau pris dans la banquise. Chaque fois qu'ils forçaient un amas de glaces ou en contournaient un, et qu'ils jetaient un coup d'œil en arrière, ils voyaient le “Fram”. Enfin, ils n'en virent plus que la lumière, un reflet jaunâtre vacillant, réfléchi par les petits cristaux de glace de l'atmosphère, cela formait comme une auréole qui s'enfonça bientôt et devint de plus en plus faible pour finir par disparaître. Presque contraints à le faire, ils se penchèrent en avant pour tendre la rêne de tirage et accélérèrent la cadence de leurs skis. L'idée qu'ils pouvaient encore sans difficulté faire demi-tour et retourner au navire, avait un côté désagréable et provocant ; ce fut un dur obstacle à surmonter, un obstacle psychologique qu'ils ressentirent comme une gélatine qui leur engourdissait les jambes et le cerveau. Il s'agissait d'entrer dans la nuit jusqu'à ce que plus rien d'autre n'existe que la nuit et eux.

Ils progressaient à l'aide de la boussole et bientôt, les journées se ressemblèrent, tant ils étaient entraînés et prêts aux routines les plus simples. Ils savaient à quoi ils avaient affaire et ils savaient qu'il importait d'observer leur emploi du temps s'ils voulaient réaliser leur projet et parvenir à un heureux résultat. Ils ne skiaient pas côte à côte, Nansen était toujours devant, comme de juste, ce qui, par conséquent, limitait la conversation. Ce n'était que le soir (la différence entre la nuit et le jour se lisait sur le chronomètre et d'après la position des astres), quand ils avaient dressé la tente, sorti leur sac de couchage, nourri les chiens, allumé le primus et mis leur repas à chauffer, qu'ils échangeaient quelques mots. C'était souvent une conversation maladroite (si l'on pouvait la qualifier ainsi), parce qu'il était dans l'air que cela aussi relevait d'un accord tacite. Les mots servaient à discuter les accessoires, l'itinéraire, les observations et la technique, de sorte qu'ils devenaient eux-mêmes une sorte d'accessoires au contenu délibérément refroidi, marqué par l'action et la pratique.

Cela lui importait assez peu, il ne ressentait pas un manque réel, car les journées comportaient tant d'expériences nouvelles et de défis pratiques que cela suffisait pour garder le désoeuvrement à distance. Sans compter son admiration grandissante pour son chef. Chez lui, aucune sentimentalité mais plutôt une sorte de pathos monumental, un crédit qui venait s'ajouter à tout ce qu'il avait déjà réalisé et accompli, mais aussi à sa propre personne, parce que sa position le voulait, évidemment, mais qu'il y avait de surcroît, dans les privations qu'il s'imposait au service de cette grande cause, une humilité grandiose effrayante. Il avait quitté son foyer et ses enfants pour servir une cause élevée, il vivait séparé pendant plusieurs années d'affilée d'une belle femme qui lui faisait confiance et qui chantait – il l'avait lu – et c'était comme si les notes leur parvenaient par-dessus la glace, et résonnaient profondément, il lui semblait l'entendre, quand l'aurore boréale tirait ses rideaux dans le ciel et surpendait des guirlandes flamboyantes d'un bout à l'autre de l'horizon.

Ce ne fut qu'au moment d'aller sous la couette – Nansen avait employé l'expression – qu'une certaine indécision maladroite naquit au début, ils la contrôlèrent rapidement, cela aussi devint la routine. Car il n'était pas question de "se dévêtir pour la nuit", ils étaient tout habillés en face l'un de l'autre, dans leur double sac de couchage, conçu précisément pour qu'ils se réchauffent mutuellement en profitant du rayonnement de leur température corporelle. Cependant, la distance qu'ils maintenaient pendant la journée se trouvait là radicalement réduite. La barbe de Nansen, cette grosse barbe de phoque, se trouvait à quinze centimètres environ de celle de son propre menton, et avant qu'ils n'aient trouvé la bonne position et fermé les yeux, son regard pénétrait dans un monde si profond et si complexe qu'un instant, il fallait qu'il retienne sa respiration; il ressentait un besoin de protéger son chef si urgent qu'il faisait un geste pour s'assurer une fois de plus que son fusil était bien à sa place, chargé, verrouillé mais prêt à servir au cas où un ours mal intentionné ou une autre bête sauvage auraient eu l'idée de les déranger dans leur sommeil. Il sentait le canon brillant sous les doigts de ses gants et le caressait du haut en bas. Nettoyée, graissée et prête, il savait que son arme l'était, d'ailleurs, il se sentait fier à la pensée que Nansen avait décidé qu'il leur fallait le fusil à lunette, comme quelque chose de spécial, peut-être même comme un cadeau spécial prévu pour lui, lui, le "tireur d'élite", ce jeune homme qui touchait ce qu'il visait, même à plusieurs centaines de mètres de distance. Soudain, d'un seul coup, les chiens se mettaient à hurler, comme si une créature ailée quelconque avait infléchi sa course pour passer au-dessus du camp, ou si quelqu'un passait par là dans la neige. Mais il savait que personne ne passait par là, qu'ils étaient seuls, totalement seuls, mais seuls ensemble, et cela suffisait, c'était mieux que n'importe quoi d'autre, en fait. Car il avait été élu.

Il se réveilla en voyant les bottes de Nansen, dans la neige. La poudre blanche montait beaucoup plus haut que la tige et que les lacets.

– Vous êtes un bon dormeur, Johansen.

La lumière de la lanterne sourde sifflait dans le noir.

– Si je ne vous avais pas réveillé, vous auriez pu rester ici pour l'éternité. Dans la neige.

Le chef de l'expédition se brossa le bras gauche avec la moufle de la main droite, un nuage blanc s'en dégagea. Il regarda autour de lui.

– "Sous la neige se blottissent les fruits et les buissons, il fait si froid dehors." Vous connaissez vos classiques, Hjalmar ?

La question était inattendue, il était à peine réveillé, et quand il regarda ailleurs, il lui sembla que Nansen s'était coiffé d'un fez. Mais il n'y avait pas de fez, il le vit clairement en se hâtant de se réveiller. Ils étaient si loin de tout, à présent, que même ses rêves avaient perdu leur épaisseur et leur crédibilité, il les retenait difficilement.

– J'ai vu que vous étiez dans les livres, à bord. C'est bien, mais ici, c'est un bagage superflu. On est obligé de se passer de beaucoup de choses. Si j'en crois nos provisions, ce sera bientôt des chiens qu'il faudra nous séparer. A moins que vous ne sachiez siffler pour attirer quelque gibier.

C'était dans ses cordes. Il avait vu – et entendu – son père le faire. Debout sur la glace, à une certaine distance du camp, il se mit à imiter le cri d'une mouette tridactyle. C'était comme le grincement d'une porte mal graissée. Un moment passa et trois oiseaux sortirent silencieusement du néant. Il souleva son fusil à plombs, fit un doublé et lorsque la mouette encore vivante vit plonger ses deux camarades, pour se nourrir apparemment, elle piqua d'elle-même vers le sol. Il la tira donc aussi. Pour nourrir les chiens, cela ne suffisait pas, il en fallait beaucoup plus, mais il eut beau continuer à grincer comme une porte mal graissée, aucun autre oiseau ne vint, le ciel était vide. S'il dépeçait les mouettes et découpait leurs filets, cela ferait un bon plat. Il décida de retourner sous la tente pour le préparer, et là, ils discuteraient de leurs problèmes ensemble. Il n'y avait pas de panique. Le mot panique ne faisait pas partie de son vocabulaire, car s'il l'avait connu, il ne se serait pas trouvé où il était.

17

Après avoir traversé un détroit inattendu, non sans maintes difficultés, au prix de plusieurs allers et retours avec les chiens dans le sillage des bateaux, les vivres et les traîneaux éparpillés çà et là, et qu'ils crurent avoir retrouvé une glace solide sous leurs skis, ils se mirent à dériver pour de bon. Ils se rendirent compte en effet qu'en même temps qu'ils avançaient dans la bonne direction, c'était dans la mauvaise qu'ils allaient, car au lieu de s'en rapprocher, les kilomètres carrés de l'immense plaque de glace sur laquelle ils se trouvaient dérivaient en s'éloignant du Pôle Nord. Après l'avoir mesuré et constaté sèchement que c'était le cas, ils poursuivirent leur chemin. Parce que ce signal n'était pas définitif, nul ne pouvait prévoir la direction que prendrait ce courant marin le lendemain, dans une semaine, dans un mois, dans une année. Selon toute probabilité, les calculs originaux étaient exacts, mais la réalité révélait autre chose, une déviation qu'ils ne pouvaient ignorer, en tout cas. Peut-être ne s'agissait-il pas d'un seul, mais de plusieurs courants marins. Ce qui se passait sous la glace, on pouvait l'imaginer, mais pas le savoir, de même qu'il était difficile, pour ne pas dire impossible de calculer l'influence du magnétisme autour du Pôle, sa spécificité relevait d'une table à dessin, beaucoup de choses pouvaient en dépendre, dont nul n'avait aucune idée, les conditions qui régissaient cet univers blanc étaient impénétrables, ce qui était la raison même de leur présence ici : ils voulaient en avoir la preuve tangible.

Ce fut comme si cette nouvelle insécurité – dont ils ne parlèrent ni l'un ni l'autre, pas plus qu'ils ne la reconnurent sérieusement, – stimulait leur courage, en même temps que la nuit devenait plus profonde. Ils avançaient, l'un devant l'autre, les chiens s'épuisaient à tirer les traîneaux tandis que la nourriture se faisait de plus en plus chiche. On eût dit que les animaux s'étaient retirés dans la même obscurité que celle où ils avançaient et il n'avait pas eu de gibier en vue depuis longtemps. Aucun oiseau ne venait lorsqu'il appelait et ils n'avaient pas vu de phoque depuis des semaines. Les mouvements de la plaque de glace les éloignaient du bord d'où ils étaient partis, ils essayaient sans relâche de corriger leur cap d'après la boussole, et pourtant, c'était comme s'ils descendaient de plus en plus bas dans un sac dont le fond restait invisible, il leur paraissait même de plus en plus étroit, comme si la nuit et le temps leur grattaient la peau.

Mais quand il contemplait le chef de l'expédition qui avançait devant lui, heure après heure, jour après jour, avec les mêmes poussées longues et fermes, il le voyait nimbé de lumière. C'était un phare à suivre, et il le suivait, bien que de temps à autre, il ait eu l'impression que ni l'un ni l'autre ne savaient vraiment où ils allaient, ils savaient seulement qu'ils progressaient et que c'était important. L'un après l'autre, les chiens se mirent à mourir de faim et d'épuisement, et la seule chose à faire fut de nourrir les survivants avec les cadavres des morts. C'était repoussant de voir ces bêtes rendues, étiques, dévorer leurs frères et sœurs, leurs cousins et cousines, et même, qui sait, leurs père et mère. A la longue, même cela ne suffit pas, alors il acheva les deux derniers chiens galeux. Il ne leur resta plus qu'à transférer leur chargement sur de plus petits traîneaux et à abandonner les grands. Désormais, ils étaient leurs propres bêtes de trait, mais comme ils savaient pertinemment que leur chargement était essentiel pour leur survie, la perspective de cette corvée devint plus supportable. Elle eut aussi pour effet, comme l'obscurité, les fausses pistes et les caprices auxquels la nature leur avait exposés, d'augmenter leur tension et de faire naître un optimisme énergique : une sorte de douce euphorie s'empara des deux hommes et à sa grande surprise, alors qu'ils avançaient péniblement, il entendit Nansen chanter dans le noir. Ce n'était ni un couplet lancé à voix haute ni une marche, plutôt un fredonnement, un parlando musical introverti et intarissable qui coula et se propagea en lui, en lui donnant envie de chanter, à lui aussi, mais il s'abstint, sachant qu'il ne chantait pas aussi bien que le grand homme, pas aussi juste, pas aussi parfaitement, puisqu'il l'avait entendu à bord, avant leur départ pour le grand voyage.

Ils fêtèrent paisiblement la veillée de Noël. Ils s'étaient donné du mal pour monter la tente et après avoir mangé, ils s'assirent sous le coupe-vent ; Nansen avait allumé deux lampes à huile, alors qu'ils n'en utilisaient qu'une d'ordinaire. Ils avaient renoncé aux lanternes depuis belle lurette, étant incapables de traîner et les lanternes et le pétrole, pas plus que le primus. Tous les outils pesants avaient dû être abandonnés, il y allait de leur survie. C'était une soirée calme, pleine d'étoiles, et ils restèrent longtemps assis, sans rien dire, à digérer la bouillie de riz qu'ils s'étaient autorisée pour célébrer cette soirée. Nansen avait sa Bible de poche sur les genoux, entre ses moufles, et il en caressait la tranche sans ouvrir le livre. Puis il la mit de côté, sur le tapis de peau de renne.

– J'aurais voulu lire l'évangile de Noël, mais vous le connaissez, n'est-ce pas ?

– Heu...

– C'est un beau texte, j'aime beaucoup le début...

Le chef de l'expédition renversa la tête en arrière et ferma les yeux.

– "Or, il advint, en ce temps-là, que l'empereur Auguste fit ordonner un recensement de toute la terre..." C'est beau.

Il tourna la tête.

– Vous arrive-t-il de penser à la langue, Johansen ? A l'étrangeté de la langue, à tout ce qu'elle peut faire et à tout ce à quoi elle peut servir ?

– Heu...

– "Heu", dites-vous, mais cela ne dit pas grand-chose, vous ne parlez pas beaucoup...

– Je...

– Vous voyez bien. "Je", et "Heu", ce n'est pas beaucoup. Mais je vous comprends, vous êtes l'homme d'une cause, vous avez des mots pour les choses concrètes. Vous savez ce qu'il faut dire quand il le faut. Comme moi.

Le silence se fit entre eux. Il ne savait que dire, bien qu'il eût envie de parler et qu'il sentît que le moment était propice.

– Très bien, dit Nansen en se redressant, il y a des choses dont nous devons parler. Compte tenu de notre situation actuelle, quelles sont nos chances, selon vous, d'atteindre le Pôle Nord, ?

– Elles sont faibles.

– Pourquoi ne l'avez-vous pas dit plus tôt ?

– L'idée ne m'en est pas venue, je pensais...

Les mots moururent sur ses lèvres.

– Je vous ai attendu, Johansen, j'ai attendu le moment où

vous alliez vous avancer pour montrer qui vous êtes vraiment. Je vous croyais réaliste, j'étais persuadé que lorsque nous serions seuls, tous les deux, et que vous sauriez que nous pouvions accomplir cette mission ensemble, vous vous manifesteriez. Que proposez-vous ?

– Si nous faisons un changement de cap de 36 degrés, nous pourrons regagner la terre ferme.

En écoutant sa propre voix, il l'entendit vibrer légèrement.

– Et alors ?

– Cela pourra prendre six mois, peut-être un an. Quant au Pôle Nord…

De nouveau, sa voix mourut sur ses lèvres.

– “Quant au Pôle Nord”, dit Nansen avec brusquerie, “au Pôle Nord ?”

– Cela signifie que nous… que vous devrez renoncer au Pôle Nord…

– “Nous”, dit Nansen, “nous devrons” renoncer au Pôle Nord…

Il se renversa en arrière et reposa sa tête sur ses mains gantées.

– Croyez-vous vraiment que j'aurais pu partir seul ? Vous imaginez-vous vraiment que j'aurais quitté seul le “Fram” pour prendre la direction du Pôle Nord ? Ne comprenez-vous vraiment pas que vous êtes ma condition première, Hjalmar, que c'est vous qui m'avez donné cette idée. Certes, le Pôle Nord est mon rêve et j'aimerais être le premier là-haut, comme j'ai été le premier homme blanc à traverser la banquise groenlandaise, mais on n'arrive à rien tout seul, personne ne peut être seul, et ce qui pousse le chercheur – ne le saviez-vous pas ? – cela peut aussi se comparer à l'amour, l'attrait que ce besoin comporte, il faut le satisfaire, c'est une passion qu'on doit assouvir, comme on s'assouvit dans un baiser…

La vapeur que provoquait ce flot de paroles sortait de sa bouche comme un ectoplasme et tressaillait à la lueur des deux petites lampes à huile. Les astres palpitaient au-dessus d'eux. Mais on n'entendait pas un bruit.

– Je ne lis pas l'évangile, Johansen, je n'y crois pas.

Du dos de sa main, Nansen essuya sa barbe crépitante. Avec sa figure noircie par la fumée et enduite de graisse, il ressemblait à un nègre albinos.

– Je crois à ce que je vois.

Le chef de l'expédition leva la main pour montrer le ciel.

– Mais j'aimerais chanter une chanson. Et si on chantait ensemble, Johansen ? J'aime chanter et quand je chante, je pense à elle…

Comme s'ils s'étaient donné le mot, ils se redressèrent tous les deux. Il y avait dans l'air une solennité fragile, soulignée par le silence qui régnait. Aucun autre bruit que le faible craquement des peaux, quand ils se levèrent ensemble. Nansen entonna d'abord à voix basse, puis Johansen se joignit à lui :

Chantons en chœur le ciel bleu
Sa vue nous rend tous heureux,
les étoiles étincellent
nous sourient, nous appellent
là-haut montons dans les cieux.

C'était la nuit de Noël
chaque étoile dans le ciel
scintillait quand au firmament
parut l'astre resplendissant
rayonnant comme un soleil.

Déjà faibles au début, leurs voix se firent plus ténues dans cet espace immense et quand le psaume fut fini, aucun écho ne lui répondit, même pour l'oreille la plus sensitive, le bourdonnement constant de la rotation du globe semblait suspendu. Ils se secouèrent pour se reprendre et après s'être mutuellement souhaité un joyeux Noël, ils s'endormirent. Il avait le vertige et quand il sombra dans l'oubli, un sentiment l'effleura, qu'il ne put interpréter que comme le bonheur : ils avaient chanté ensemble, il avait fait entendre sa voix, l'harmonie de cet instant était irréfutable, ce qu'il y avait eu entre eux n'avait qu'un seul nom : la communion. Désormais, ils faisaient une course à deux.

Ils passèrent la semaine entre Noël et le Nouvel An à discuter du changement de leurs projets. C'était un échange professionnel, presque sec, mais très satisfaisant. Ils firent le bilan de leurs provisions, comptèrent combien de cartouches ils pourraient se permettre de tirer et dans quel but, ils étudièrent les cartes, leur tête tout près l'une de l'autre, au-dessus de la lumière tremblotante, et ils élaborèrent un plan qui les soulagea d'une partie de leurs soucis, parce qu'il renfermait moins de rêve et plus de réalisme que leur projet antérieur. La priorité qu'ils accordaient à leur survie n'éliminerait pas la réalisation éventuelle de leur rêve, néanmoins, elle était essentielle, leur survie était sa condition première, et puisque tous les deux – en fin de compte – s'en tenaient à la raison, ils se sentaient loyaux envers leur mission. Ils avaient enroulé les voiles, il les avaient même attachées, en un sens, mais ils ne les avaient pas décrochées. Ni l'un ni l'autre ne savait si leur projet tiendrait le coup, leur salut n'était pas donné d'avance, mais s'ils n'y croyaient pas, – comme ils avaient cru qu'ils pourraient atteindre le Pôle Nord jusqu'à ce que la situation leur prouve autre chose – ils étaient perdus. Si le hasard leur restait contraire, il leur était impossible, en revanche, d'ignorer la nécessité.

Plus ils se bombardaient de constatations, les lèvres serrées, plus leur humeur s'améliorait. Cela leur avait d'ailleurs fait du bien de rester sans bouger et de dételer complètement pendant quelques jours. Ils n'étaient pas non plus restés oisifs, s'étant servis de leurs méninges, et le jour du Nouvel An, ils se sentirent à la fois vidés et un peu gris, en proie à un sentiment que lui, en tout cas, vécut comme une euphorie. Peut-être parce qu'il savait que l'année avait tourné, que le printemps arrivait, ce printemps qu'il craignait et chérissait à la fois. A présent, la lumière revenait.

Pour fêter le Nouvel An, ils concentrèrent leur énergie, pour une fois, à se soigner convenablement eux-mêmes. Dans leurs calculs, ils avaient prévu deux cartouches que chacun tirerait avec son fusil quand minuit sonnerait. Ils s'étaient aussi gratifiés d'une boîte de sardines entière à chacun et sacrifièrent assez de bois pour se faire frire un foie de phoque qui attendait sur le traîneau, congelé, au milieu des autres provisions. Ils avaient longtemps discuté pour savoir s'ils ouvriraient un bocal de pêches au sirop, mais s'étaient mis d'accord pour économiser des douceurs qui pourraient s'avérer nécessaires s'ils devaient faire un effort supplémentaire qui exigerait du sucre. Mais ils avaient sorti deux carrés de chocolat.

Pendant le repas, Nansen se leva soudain et disparut derrière la tente. Ils avaient fait traîner le "dîner" pour se rapprocher le plus possible de minuit avant d'éteindre et de se coucher. Quand Nansen réapparut en brandissant un flacon, de sa main droite, il sut tout de suite ce que c'était. Ils avaient quatre bouteilles de rhum en guise de "médicament", et c'en était une.

– Je trouve que nous méritons une goutte, dit Nansen en s'asseyant sur la fourrure, j'aurais aimé que ce soit du champagne, mais c'est ailleurs que cela se boit, ce sera pour notre retour à la maison... à la maison, à la civilisation...

Le chef de l'expédition prit le bouchon entre ses dents et

secoua la tête d'avant en arrière, comme un éléphant de mer qui saisit celle qu'il aime par la peau du cou. Le bouchon sortit en faisant un plop et une gouttelette du précieux liquide jaillit sur le côté, humectant la commissure des lèvres de Nansen.

– A votre santé, Hjalmar, dit-il, à votre santé. Et merci.

Ils burent à tour de rôle au goulot, et chaque fois qu'ils rejetaient la tête en arrière, ils regardaient directement le ciel où les étoiles les contemplaient sans broncher. Personne, – pas même Nansen, – ne leur conseilla de se retenir ; quand la moitié de la bouteille fut vide, à l'approche de minuit, ils se mirent sur leurs jambes, saisirent les fusils chargés et quand Nansen donna le signal, ils tirèrent ; le feu du canon était encore visible lorsqu'un écho explosa, avec un cliquetis énorme, qui se multiplia à l'infini, comme si une vitre gigantesque volait en éclats et n'en finissait pas de se briser.

Sans se préoccuper des reliefs du repas (puisqu'ils n'avaient pas vu un ours depuis un mois, qui aurait pu venir s'en régaler ?), ils étendirent le sac de couchage et s'y glissèrent côte à côte. D'ordinaire ils se tournaient le dos avant de s'endormir, mais en ce moment, ils étaient couchés comme des cuillers, Nansen derrière et lui devant. Après s'être mis à l'aise, ils restèrent longtemps silencieux, à la fois soulevés et transportés par l'ivresse, retenus par ses ondulations douces comme une caresse. Le crépitement des étoiles revint, ou simplement le chant de leur sang. Il sentait sur son cou la chaleur de l'haleine du chef de l'expédition, sous le bonnet qu'il portait toujours pour dormir.

– Qu'est-ce que ces livres vous ont apporté, Johansen, parce que je vous ai vu lire,...

La question avait un ton rêveur, comme si le grand homme s'assoupissait déjà.

– Vous y avez compris quelque chose ?

– Euh…

– Encore un de vos "euh", vous n'avez pas d'autres mots ?

Les sentiments foisonnèrent en lui comme des plantes marécageuses. Il avait une quantité de mots, à la fois furieux et emportés, et pleins de douceur. Il était touché, mais aussi séduit, et ce qui lui avait paru simple était plus composite, équivoque et troublant à présent.

– Vous avez lu "Madame Bovary", n'est-ce pas ?

– Oui.

– Avez-vous compris son aspiration ?

– Oui, je l'ai comprise. Mais pas tout à fait…

– Qu'est-ce que vous n'avez pas compris ?

– Elle avait tout, n'est-ce pas, que voulait-elle donc de plus ?

– Et c'est vous dites cela ? Vous me le dites à moi, alors que nous sommes ici, à des centaines de kilomètres de tout, au milieu de la glace, à la poursuite d'une chose qui n'existe peut-être pas et qu'en tout cas, nous ne découvrirons pas nous-mêmes. Vous ne trouvez pas ça étrange ?

– Si.

– Mais vous vouliez en être à tout prix. Vous vouliez en être.

– Oui.

– Alors, vous comprenez aussi Emma…

Il sentit Nansen bouger et un moment plus tard, il sentit que sa main descendait vers son entrejambe. Une chose qu'il avait oubliée ou à laquelle il n'avait pas consacré une pensée pendant des mois devint tout à coup vivante, et ce fut comme si la chaleur, l'alcool et les mots, et la proximité de son voisin convergeaient soudain en un endroit précis. Son sexe se dressa.

En même temps, il se sentit poussé vers le haut, tout en haut jusqu'à une crête invisible sur laquelle il balançait, un abîme de chaque côté. Il ferma les yeux, respira profondément, sentit qu'il fallait qu'il s'accroche de toutes ses forces pour ne pas tomber, tout en sachant que la seule chose qu'il souhaitait réellement à cet instant précis, était de tomber, de se rendre, de disparaître dans une chaleur d'un noir infini, de se soumettre, comme il l'avait fait dès le premier instant, les yeux ouverts et en toute conscience, hypnotisé par l'ardeur de son aspiration.

– La graisse d'ours, chuchota le grand homme derrière lui, allongez le bras pour prendre la graisse d'ours. Parce que je ne veux pas vous faire mal, Johansen, c'est la dernière chose que je veux, ce que je ne veux à aucun prix, c'est vous faire mal…

Une fois descendues et soulevées les épaisseurs de leurs vêtements, le feu qui lui ceignait les reins se fit de plus en plus fort et lorsque la flamme soyeuse atteignit le point le plus intime de son corps, il poussa un cri prolongé, ou un appel qui renfermait tout ce qu'il ne pouvait ni dire ni savoir, ni comment on le disait ou osait le dire, et des séries d'images chatoyantes ondulèrent, comme l'aurore boréale, devant les paupières de ses yeux fermés. Enfin, les pulsions dures et douces décrurent et tandis que sa respiration se rapprochait de quelque chose qui ressemblait à la normale, il entendit un grognement derrière lui et enfin la voix de Nansen :

– Maintenant, je crois que vous pouvez me tutoyer, Johansen, maintenant, je pense qu'on doit se tutoyer.

18

La période qui suivit fut difficile, mais très heureuse aussi, par moments. La décision de regagner la terre ferme les avait délestés d'une partie de leur fardeau et en même temps, comme la lumière revenait, leur courage et leur bonne humeur grandissaient. Le gibier commençait aussi à se montrer, ils avaient vu des ours, et de temps à autre, des oiseaux de mer passaient en criant au-dessus d'eux. Son appel faisait son effet, ils avaient donc suffisamment de viande fraîche, même s'ils ne s'étaient pas encore régalés d'un rôti d'ours ou de phoque. La seule chose qui ne fonctionnait pas comme prévu, c'étaient leurs rapports mutuels. L'égalité de leur condition allégeait certaines choses, et ils remplissaient leurs tâches quotidiennes comme des pairs. Même les livres, ils les discutaient librement. Nansen aimait professer. C'était au niveau corporel, dans leur relation intime, que les difficultés commençaient. Ce n'était pas uniquement une question de penchant, mais bien davantage une question d'approche. Il ne savait pas, tout simplement, quand c'était le bon moment.

Étant le plus inexpérimenté, il avait beaucoup à apprendre, mais il ne manquait pas d'application, il eut donc tôt fait de devenir un expert et les raffinements de cette primitivité qu'ils découvraient semblaient leur plaire à tous les deux. Non contents de ressembler à des sauvages, ils se comportaient comme tels, – ou imitaient qu'ils pensaient être un comportement de sauvages -: au milieu de tout ce blanc, ils étaient enduits d'huile de morue et noirs de suie de la tête aux pieds, comme deux nègres arctiques en excursion. Quelquefois, ils dansaient ensemble dans la pénombre qui durait de plus en plus longtemps, et de temps à autre, étendus dans les bras l'un de l'autre, ils fixaient la voûte céleste en parlant librement du passé et du chemin qui les avait réunis. Nansen parlait de ses enfants et du rossignol qu'il adorait, son épouse, qu'il aimait réellement, mais surtout quand ils étaient séparés, on eût dit qu'elle s'épanouissait vraiment dans son esprit quand il lui écrivait ses longues lettres en lui déclarant son amour. Dans son rêve, elle était grande, mais quelque chose les séparait quand ils étaient face à face, elle et lui. Peut-être qu'en réalité, il partait au loin pour être plus près de son foyer ; il voyait très clairement qu'il existe plus d'une sorte de réalité, et que celle qu'on porte en soi dans son rêve et dans les tréfonds de sa conscience est peut-être la plus forte.

Au lieu de l'effrayer ou de l'angoisser, ces mots l'apaisaient et le consolaient, tout à coup, il était en mesure de voir ses propres fantômes sous un autre jour. Maintenant, ils lui faisaient davantage l'effet d'être les barreaux d'une échelle qui menait plus haut qu'il ne l'eût jamais imaginé ; couché là, à regarder le ciel, il avait l'impression que la distance s'était réduite. Il pouvait atteindre les étoiles. Il avait déjà éprouvé ce sentiment, mais à présent, il était palpable. Il ne comprenait donc pas pourquoi Nansen lui tournait le dos quand il s'y attendait le moins. Il ne comprenait pas que cet être dur et doux puisse renfermer une froideur telle que les températures de leur milieu polaire, qui oscillaient entre moins trente et moins cinquante, lui semblaient tout à coup encore plus basses. Il tâchait de se l'expliquer par de la versatilité ou des changements d'humeur soudains, mais il s'agissait de quelque chose d'autre et de plus important. C'était comme si ce qu'ils faisaient ensemble n'avait jamais existé, et que le fait de le mentionner ou de s'y référer eût été pire qu'un affront, un péché qui méritait un châtiment. Bien que Nansen n'eût jamais failli à sa promesse de le tutoyer, la distance hiérarchique qui les séparait était plus grande que jamais, à certains moments. Cela venait sans crier gare, de façon inattendue, et de plus en plus souvent à mesure qu'ils se rapprochaient de la limite de la glace.

De temps à autre, quand il se sentait abandonné de la sorte, il éprouvait un besoin étrange de cracher tous les mots de tendresse qu'ils échangeaient d'ordinaire, soit en les défigurant, soit en leur donnant le sens qu'ils prenaient dans un contexte vulgaire. Secrètement, il appelait son amant “Nounours”, et il murmurait ce nom, mais il aurait voulu crier autre chose. Il aurait voulu crier "Bitte !", crier "Couilles !", crier "Cul !", voilà ce qui le démangeait, mais il ne criait pas, il se bornait à partir de son côté pour s'attaquer au travail indispensable avec une énergie farouche, comme s'il voulait déchirer tout cela et le réduire systématiquement en miettes. Ils n'avaient pas de secrets, apparemment, ils n'avaient pas de secrets, et pourtant, cette barrière invisible se dressait entre eux, insurmontable.

Un jour qu'il était allé visiter les lignes fixées par lui à un crampon sur la glace pour essayer de prendre du poisson, il vit le chef de l'expédition de l'autre côté du trou pratiqué dans la glace, à cent mètres de lui, debout sur ses skis ; il revenait d'une tournée de chasse en direction de l'ouest, au milieu des masses de glace. Nansen avait son fusil sur le dos, maintenu par une courroie sur sa poitrine et comme il s'arrêtait un instant pour s'orienter par rapport à leur camp, un ours blanc surgit, à vingt-cinq mètres de lui. La situation était difficile, parce que Nansen tournait le dos à l'animal ; s'il se mettait à crier ou à faire des signaux et que l'ours, effrayé ou excité, passe à l'attaque, les conséquences pourraient être fatales. On manœuvre facilement, à ski, quand il y a de la place, mais il presque impossible d'exécuter un tour de 180 degrés quand il faut faire vite et que l'on est sous pression.

Quand Nansen leva le bras et agita son bâton de ski pour le saluer ou lui faire un signe, l'ours se leva sur ses pattes de derrière et, debout, se balança et renifla pour évaluer le danger. Nansen n'avait toujours rien vu et l'espace d'un instant, il marqua un temps de latence presque révolté. Cela ne dura qu'une seconde pendant laquelle un méchant éclair lui traversa l'esprit : si je ne fais rien, je ne serai pas responsable d'avoir déclenché la catastrophe. Si j'agis, je serai coupable. Qu'est-ce que je veux ? Je n'en sais rien. Mais il le savait bien, naturellement : avant que ces signaux confus n'aient le temps de le paralyser, il avait bondi en avant, saisi le fusil posé à côté du matériel de pêche et s'était mis à hurler "Un ours, un ours," en agitant les bras et en pressant le pas pour se rapprocher du danger autant que c'était humainement possible avant que tout ne tourne mal.

Le chef de l'expédition ne réussit à faire qu'un demi-tour avant que l'ours soit sur lui. La rapidité du combat dépassa tout ce dont ils eussent été capables ; sans que personne ne l'ait vu, l'ours semblait avait fait un bond énorme de son point de départ à son but, et là, courbé sur sa victime, la courroie du fusil dans la gueule, il secouait brutalement l'homme qu'il avait sous lui en avant et en arrière.

Il se jeta à genoux dans la neige et mit le fusil en joue. C'était un coup difficile car l'ours, sous cet angle précis, tournait la moitié de son arrière-train de son côté alors que sous Nansen, le terrain formait une pente régulière, ce qui le mettait dans la ligne de tir. Le hasard voulait que ce soit le fusil à lunette qu'il avait entre les mains, Nansen aurait très bien pu le choisir pour sa tournée de chasse, c'est alors qu'il vit – alors que le réticule de sa ligne de mire n'arrêtait pas de bouger parce qu'il haletait – que l'ours venait de lâcher la courroie récalcitrante et sans importance et s'approchait du cou de l'homme qu'il aimait, la gueule ouverte et la langue bleu-rouge pendante.

– Tire, cria Nansen, tire, sacré nom de Dieu !

Il n'y avait absolument rien d'autre à faire ; obéissant à un ordre surhumain, il immobilisa le fusil et en le tenant vers le bas, visa l'ours en plaçant le réticule de la lunette juste au-dessus du croisement, il vit alors que malgré cet angle impossible, il avait une chance de traverser l'ours et de le blesser à mort en lui tirant une balle dans le cœur. Contre toute raison, il ferma les yeux à l'instant où il appuya sur la détente et quand il les rouvrit, il vit l'animal se balancer sur ses quatre pattes avant de glisser lentement sur l'homme étendu devant lui et de se coucher sur Nansen comme une grande couverture blanc-jaune qui se colora rapidement de rouge sang d'un côté, tandis que la tête de l'ours roulait par-dessus, la langue pendante.

Il jeta son fusil et courut le long de l'eau grise jusqu'à ce qu'il arrive à cet étrange empilement. Nansen disparaissait presque sous la bête, mais sa main faisait des signes d'appel et quand il eut fait basculer le côté droit de l'animal, et qu'il l'ait soulevé de son épaule, en mobilisant toutes ses forces, il réussit à tirer le chef de l'expédition suffisamment pour lui permettre de respirer librement. Ils restèrent étendus côte à côte, haletants, mais quand la chaleur de la bête et le sang rouge qui coulait de son cœur traversèrent leurs habits épais, ils se donnèrent l'un à l'autre en silence, et les frontières qui avaient existé entre eux s'effacèrent une fois de plus.

Peut-être était-ce l'exception qui confirmait la règle, car son sentiment d'abandon devint de plus en plus net, malgré tout. Parfois, Nansen adoptait un air d'homme d'affaires presque sévère et rigide. Il se mettait à commander impatiemment, hargneusement même. Il semblait aussi que tacitement, il se prévalait de la dignité de son âge et de sa supériorité de chef plus qu'il ne l'avait encore jamais fait. Il était devenu nerveux et s'arrêtait souvent pour scruter l'horizon en tous sens, comme s'il supposait qu'une chose longtemps attendue et convoitée allait émerger du néant. D'ailleurs, cela ne faisait plus de doute, ils étaient sur le bon chemin, le sextant le leur disait, la boussole le leur disait et quand ils se penchaient sur la carte, ils pouvaient aussi se dire qu'ils étaient sur le chemin du retour. Ces mots ne furent jamais dits ; par contre, ils affleuraient tout juste la surface, comme un banc de poissons qui ne peuvent se décider à sauter ou non, autrement dit à courir le risque d'être vus et dévoilés. Ils parlaient d'autres choses.

A deux cent cinquante kilomètres à l'ouest de l'endroit où ils avaient campé pour Noël, Nansen déplia le kayak qu'il avait empaqueté sur le traîneau. Ils n'avaient pas eu beaucoup de chance avec la pêche, il voulait donc essayer de tirer un phoque depuis le canot. Ils travaillèrent côte à côte sans mot dire pour gréer l'esquif et quand Nansen quitta la terre, il lui imprima une poussée supplémentaire, si bien que le kayak se pencha légèrement et embarqua un peu d'eau par le trou d'homme. Ils échangèrent un regard, mais il tourna vite les talons et retourna à la tente. Le grand corps du chef paraissait monumental, dans cet esquif, tandis que les coups de pagaies l'éloignaient du bord de la glace en faisant prendre au canot la direction d'une haute montagne noire.

Assis sous le pare-vent, il essaya de rassembler ses idées, mais elles se dispersaient constamment et le présent, tel qu'il voyait, lui paraissait gris et indélimité, impossible à retenir. Il essaya de dormir, mais le sommeil non plus ne voulait pas venir, et pour la première fois depuis longtemps, il eut l'étrange impression de ne pas pouvoir toucher le sol. D'ordinaire, il lui suffisait de s'allonger pour que la terre semble l'attirer à lui pour l'étreindre. A présent, il avait l'impression de flotter nerveusement et ses membres avaient une raideur qui lui parut étrangère et désagréable. Il se demanda s'il couvait une maladie, une fièvre – il en éprouvait les symptômes, – mais il n'était pas malade, ni l'un ni l'autre n'étaient malades, ils avaient été enrhumés, il avaient eu de la diarrhée, mais maintenant, ils se portaient bien, ils resplendissaient de santé, tout simplement, après tant de mois loin de la civilisation, ou du “Fram”, en tout cas. Ils ne pouvaient mieux se porter. Tout à coup, il lui sembla entendre les chiens ; comme il savait qu'ils étaient morts depuis longtemps, que dans leur détresse, ils s'étaient même entre-dévorés, il passa outre. Cependant, ces bêtes ne cessaient de le poursuivre, comme si elles entouraient l'endroit où il reposait, et comme il lui sembla aussi sentir l'odeur de leur fourrure, ce mélange âcre de poisson, d'urine et de viande pourrie, il se leva d'un bond et se mit à arpenter le sol, angoissé.

Durant les phases où il était repoussé sans en comprendre la raison, il se voyait parfois revenu à la période de sa vie où il s'interrogeait sur ce qu'il allait devenir et dans quel chemin s'engager. Il se retrouvait au lycée, quand il se demandait s'il y était ou non à sa place, il se retrouvait dans l'armée, où il se distinguait, certes, étant né pour se servir de son corps et obéir à des ordres, même dans des conditions où d'autres y auraient renoncé. Mais où cela le menait, il n'en savait rien, et il ne pouvait se défaire du sentiment d'être déplacé. Son père n'avait jamais fréquenté l'école supérieure – ç'eût été impensable – pas plus que ses frère et sœur. C'était lui qu'on avait élu, même s'il se sentait plutôt rejeté, par moments. Jusqu'au jour où il s'était rendu compte que tout cela n'avait servi qu'à atteindre un seul objectif et indiquer une seule direction : Nansen et le Pôle Nord. Ces années étaient une préparation, il le savait à présent, pourquoi fallait-il donc que leur accomplissement et ce qui s'ensuivait s'achèvent par un rejet, périodique peut-être, mais de plus en plus fréquent ? S'était-il mépris quelque part, n'avait-il pas été à la hauteur, ou leur intimité était-elle un péché si condamnable qu'elle portait son châtiment en soi et qu'il fallait l'étouffer et l'anéantir ?

Cette idée fit monter en lui une nausée brûlante et sa gorge se serra ; impossible de croire à cette explication. Quand il pensait à ses sentiments et à ses transports de tendresse, il lui était impossible d'y relier l'idée du péché. Pourtant, le visage détourné et le dos sévère du chef étaient un signal, son rejet lui montrait que quelque chose clochait, que quelque chose n'allait pas et que c'était lui le coupable, bien qu'il fût hors d'état d'imaginer ce qu'il avait fait de mal, quelle faute qu'il avait commise. Était-ce réellement possible que l'objet de la séduction soit désigné comme son responsable et non l'inverse ? Cette idée, qui ne cessait de le ronger, finit par devenir si forte qu'elle domina presque tout le reste et que sa vie entière lui apparut comme une trahison. En s'étant abandonné à la quête, en tâtonnant constamment, il laissait derrière lui une piste pleine de bave, comme celle de l'escargot, et comme ce mollusque, il portait un fardeau sur le dos, composé à égalité d'une envie et d'une ambition bien accueillies, mais mal venues, auquel s'ajoutait un sentiment de culpabilité bouillonnant dont la mort seule pourrait le défaire. Mais il était jeune, il ne perdit donc pas tout espoir, au contraire, son attachement grandit, même si de la colère s'y mêlait, et parce qu'il comprenait en même temps que ce retrait volontaire était aussi un jeu, que ce rejet représentait aussi une invitation, sa passion s'approfondit, son attention redoubla et il se retrouva encore plus fébrilement exalté que jamais auparavant. Il ne pouvait quitter des yeux le chef de l'expédition et il interprétait chacun de ses gestes et de ses expressions dans l'espoir de capter un signe qui signifierait qu'il n'était pas répudié, qu'il demeurait éclairé par la lumière de la grâce.

C'est pourquoi il s'éloigna du camp et descendit sur la berge pour suivre Nansen. D'après son comportement, le chef de l'expédition avait vraisemblablement vu du gibier, il y avait un phoque dans les parages, qui avait peut-être plongé, et le chasseur attendait que l'animal remonte à la surface pour respirer. Où, nul ne pouvait le dire, et le chasseur, dans le kayak, tournait d'ailleurs la tête anxieusement à droite et à gauche pour guetter dans tous les sens. Il avait son fusil devant lui et tenait la pagaie des deux mains. Quand ce qu'il attendait arriva et que l'animal apparut, ce fut en biais, à droite de l'esquif, l'homme lâcha la pagaie pour saisir son arme et la pagaie glissa dans l'eau, tandis que le vent et le courant s'emparaient de canot et le poussaient rapidement vers le large.

L'instant était fatal, mais un calme étrange se fit en lui. l'image était si nette qu'elle se grava dans sa tête. Le phoque avait plongé depuis longtemps, effrayé par ces manœuvres irrégulières et par le bruit de la pagaie tombée dans l'eau ; le grand homme avait essayé de ramer avec son fusil, mais cela ne suffisait pas pour combattre les forces contraires. Si personne n'intervenait, lui et le kayak s'en iraient aux cinq cents diables.

Ni l'un ni l'autre ne dirent mot. Il n'y eut ni appel, ni bras levés, ni allées et venues fébriles au pas de course. Tandis que la distance augmentait, un durcissement affreux, comme une couche de gélatine, se posa sur l'image. L'idée de laisser partir cet homme grossit comme une tumeur dans sa tête, mais parallèlement, il eut un sentiment d'abandon si total et une aspiration si ardente qu'il fut comme brûlé. Jamais encore, autant qu'à cet instant, il n'avait éprouvé son pouvoir sur la vie et la mort en même temps qu'une envie affreuse de s'en remettre au destin ; une incertitude fondamentale qui se pressait comme une éponge lui donna le vertige pendant que son sexe se gonflait de sang. La pression fut telle qu'il lui fallut la libérer, il resta pieds joints un moment, le regard intensément dirigé vers la silhouette qui rapetissait sur les flots, puis il se pencha soudain en avant, ôta ses bottes d'une secousse, déboutonna toutes ses épaisseurs de peau et de laine, sauta par-dessus les galets du rivage et plongea dans l'eau qui l'enveloppa comme une peau glacée qu'il dut fendre pour la traverser, en visant, la bouche fermée et les yeux plissés, cette ombre à la surface, sur laquelle il voyait, à chaque brasse, le condamné à mort apparaître et disparaître à nouveau.

Il ramena le bateau à terre, mais quand il entendit le râclement du kayak sur les cailloux de la rive, il s'écroula dans l'eau basse et ne bougea plus. La dernière chose qu'il sentit furent les petites vagues que lui léchaient les mollets, et quand il revint à lui, la première chose qu'il sentit fut la chaleur du corps de Nansen serré contre le sien. Il resta longtemps dans cette grande étreinte, et la tendresse qu'il éprouvait s'étirait sans peine à travers le temps par-dessus la glace et la mer, la terre et le lac, pour retourner à un état primitif dont il reconnut immédiatement l'ondulation sonore, la chaleur protectrice inoubliable, et dont il savait qu'il ne sortirait jamais avant que ce soit lui qui l'abandonne. Des images ardentes comme des arabesques l'inondèrent quand ils s'aimèrent, et il eut la vision d'une colonne immense, entourée d'êtres humains vivants qui s'élevaient, plus haut, toujours plus haut, comme s'ils grimpaient à une échelle qui les mènerait au ciel. Mais ils fuyaient quelque chose, ils s'enfuyaient, quelqu'un les poursuivait. Il ne savait ni qui ni quoi, et peu lui importait, à ce moment-là, il se laissa aller tout entier à son épuisement qui lui donnait une réceptivité et une force si illimitées qu'il éprouva le besoin de chanter. Il poussa un gémissement d'extase, haut et fort, et comme il ouvrait les yeux, il vit son amant de tout près, plus près qu'il ne l'avait jamais vu, et la tendresse qu'il lut dans ses yeux lui sembla infinie, il était impossible d'imaginer qu'elle se tarisse jamais. Ils étaient une seule chair, ce fut son unique pensée. Rien ne pourrait altérer ce moment sacré, ni au ciel ni sur terre. Il lui sembla n'avoir encore jamais vécu le mot "maintenant". A présent, il le comprenait, et quand il reprit sa respiration, il murmura sans réfléchir : "Maintenant, maintenant, maintenant!" et il s'endormit sur-le-champ d'un sommeil si profond qu'il risquait de ne jamais plus se réveiller, mais que cela ne faisait rien.

19

Ils résolurent d'abandonner les bateaux. Ils n'avaient aucune raison de s'en encombrer, puisqu'ils foulaient la terre ferme. Le reste du voyage se ferait à pied, mais ils savaient fort bien qu'il n'était pas question d'une marche dépourvue d'obstacles. Six mois, au minimum, voilà ce qu'il leur faudrait avant de retrouver la civilisation. De nouveau, l'hiver approchait et bientôt, le paysage ressemblerait à celui qu'ils avaient parcouru : une terre impitoyablement recouverte de glace et de neige, dans une obscurité qui se ferait chaque jour de plus en plus profonde pendant les six mois à venir.

Avant leur départ, ils voulurent s'assurer du ravitaillement, ils partirent donc à la chasse, souvent séparément et dans des directions différentes. Certes, ils comptaient trouver des vivres en chemin, mais ils n'avaient pas l'intention de retarder leur progression en avant en s'arrêtant sans cesse et en s'éloignant de l'itinéraire prévu. Le principal était de pouvoir s'orienter constamment et de maintenir le cap, leur navigation incertaine sur les plaques de glace était un chapitre terminé. Rien ne pouvait entamer leur cohésion énergique et ils élaborèrent un plan minutieux. Ils ne parlaient que rarement du "Fram", le navire était devenu un vaisseau de rêve, sous les étoiles, un passé lointain, silencieux, qui semblait à peine exister et ne les concernait pas sérieusement. Quant à lui, il sentait ce qui lui pesait disparaître comme de la fumée sortant d'une cheminée, qui tournait de plus en plus haut et s'évanouissait dans le bleu de l'infini, il se réjouissait même, en fait, de la marche aventureuse qui les attendait et si ce voyage durait longtemps, cela ne ferait rien.

Chaque soir, pendant qu'ils mettaient la dernière main à leurs préparatifs, ils avaient de bonnes conversations, et quand il écoutait les explications de Nansen et essayait de tirer des leçons de ses expériences, qui paraissaient sans limites, il s'identifiait de temps à autre à Huck Finn, prenait le grand homme pour Nigger Jim, et voyait leur propre itinéraire comme la descente d'un autre fleuve que le Mississipi, une veine blanche qui aurait dû les mener en un lieu précis, mais qui en avait décidé autrement, qui leur montrait des contrées qu'aucun des deux n'avait encore jamais vues et dévoilait des sentiments d'une violence qu'il n'eût jamais imaginé trouver en lui. Son émotion, quand il lisait le livre à bord Fram, lui revenait avec une force redoublée ; il comprenait que l'amitié ne fait pas nécessairement partie de la fiction, qu'elle existe, qu'elle est tangible et qu'elle mérite peut-être mieux d'être préservée que n'importe quoi d'autre, parce que l'amitié non seulement rend la libération possible, mais que celle-ci en dépend, et que lorsque c'est nécessaire, il est raisonnable de tout miser pour la préserver, même au prix de sa vie.

Avant de quitter le camp, Nansen plaça sous une pierre un morceau de parchemin plié qui portait une brève description de l'itinéraire qu'ils avaient parcouru, de leur séjour et du cap qu'ils suivraient. Il nota quelques-unes de leurs observations scientifiques, comme s'il voulait s'assurer que rien d'important ne serait perdu, même s'ils se perdaient eux-mêmes. Une petite pyramide de galets marqua le lieu où se trouvaient ces renseignements. Mais une fois ce chapitre terminé, quand tout fut bouclé et prêt, on eût dit que quelque chose les retenait dans la baie. Peut-être leur rappelait-elle la fin du monde, avec toute sa grisaille privée de vie, se refusant avec malice, attirante et repoussante. Debout côte à côte, les yeux fixés sur la mer, ils se dressaient comme des monuments dans ce paysage, deux monolithes noircis de suie, immobiles, mais fermement décidés à partir, s'ils l'avaient pu. Une pluie froide tomba et se transforma sur-le-champ en glaçons qui frappèrent le sol dur et sautèrent en ricochant autour d'eux.

Pour essayer une dernière fois d'appeler les oiseaux, il grimpa sur un rocher qui offrait une vue étendue, et lorsqu'il aperçut une silhouette qui avançait sur la glace, il crut d'emblée à une hallucination. Il était clair que cet homme n'était pas Nansen, plus petit, il avait un équipement différent et la figure blanche, comme s'il se lavait tous les jours. C'était un homme blanc, impossible d'en douter. Sa réaction naturelle aurait dû être de s'exclamer, de crier, d'agiter les bras pour l'appeler, de tirer un coup de feu en l'air. Mais ce qu'il ressentit fut de l'horreur, un éboulement de désespoir qui dévala sur lui comme du charbon dans un puits. Hors d'état de bouger, il resta muet, enseveli jusqu'au cou dans une certitude qu'il fut incapable de décrire au début, mais qu'il devinait dans son cœur être une défaite irréfutable ou un jugement sans appel. Quelqu'un lui tourna définitivement le dos, à cet instant-là, une porte se ferma, un verrou claqua. Il n'était pas question d'une hallucination.

Sous le choc, ses jambes se dérobèrent sous lui, lentement, il tomba à genoux. Sans le fusil dans sa main droite, il crut qu'il serait tombé. Cramponné au poli de l'acier, il sentit le canon glisser entre ses doigts vers le haut. L'ensemble du mouvement fut si lent qu'il devint imperceptible, l'espace d'un instant, il souhaita que cela continue, tout simplement, il se fondrait alors dans la grisaille et s'unirait à ce paysage, qui à ce moment-là, ressemblait exactement à des limbes. Il se réveilla en sentant le petit freinage de sa main quand elle atteignit la bascule et l'arrêt du glissement du canon. C'était lui, ce jour-là, qui avait le beau fusil, le fusil à lunette, et il comprit alors à quoi cette arme allait servir. Il se baissa tout à fait pour s'asseoir à croupetons, et en suivant des yeux la silhouette de l'étranger qui continuait d'avancer à petits pas sur la plaine caillouteuse couverte de neige, il épaula le fusil en assurant sa position, les fesses contre le rocher, et releva les genoux en guise de chevalet de pointage. Ce n'était pas un coup difficile, le contour de la tête de l'homme se dessinait nettement et de sa position, il le suivait sans peine et tenait fermement sa cible dans la ligne de mire : entre la pommette et la tempe.

Alors qu'une minute plus tôt, il avait failli se laisser aller à son anéantissement, il sentait à présent que l'agitation le quittait comme l'eau qui glisse sur un phoque à terre. Ce qu'il éprouvait maintenant, c'était l'excitation du chasseur, le calme hautain du tireur isolé qui voit se détacher le contour de sa victime avec une clarté impérieuse. Tous ses sentiments chaotiques se rétractèrent pour aller de l'avant et se transmettre du doigt posé sur la détente jusqu'à l'arme même, tous ses rêves et ses aspirations, son allégresse et sa terreur se concentrèrent sur cette cartouche qui ne demandait qu'une chose : être libérée. Mais à l'instant où il pliait le doigt sur la détente, il eut l'impression que l'image s'agitait, une ombre se glissait sur la gauche et quand son œil, un instant, se détourna de la lunette, il vit que l'homme solitaire sur la plaine n'était plus seul, un autre homme s'approchait, dont l'identité ne faisait aucun doute.

De nouveau, il eut l'impression d'étouffer, quelque chose monta dans sa gorge, dont il aurait voulu se libérer sans le pouvoir. La salive lui emplit la bouche, il l'avala, l'avala, sans succès, et à la fin, il s'entendit sangloter. Il avait baissé le fusil, mais il l'épaula de nouveau pour fixer des yeux l'image bleuâtre dans laquelle la tête de Nansen et celle de l'étranger étaient aussi rapprochées que dans un médaillon. Il ne pourrait pas les tirer tous les deux d'un seul coup, pas de doublé sensationnel ici, mais il pouvait les tuer sans qu'il y ait d'autre témoin que lui. L'image se voila, l'étranger ne pouvait être sorti du néant, il ne tombait pas du ciel, comme les oiseaux, il devait y avoir quelqu'un derrière lui, une expédition, un navire, des chiens, des êtres humains. Son trouble survint quand ces idées le frappèrent, tout à coup, il se trouva très peu seul, il lui sembla entendre des voix, et il vit les deux hommes tourner en rond en faisant des pas de danse, un chassé, deux chassés, il entendait aussi de la musique, sans que personne pût dire d'où elle venait, et quand il eut jeté le fusil, il se mit à genoux, se boucha les oreilles, ferma les yeux et se balança d'avant en arrière sans souci d'être vu ou entendu, tant il fut terrifié parce qu'il se sentait dévoilé. Un gémissement âpre, plein de hoquets incontrôlables, sortit de sa gorge serrée.

Avant qu'il soit arrivé à ce campement qu'ils n'avaient pas eu le temps de quitter, le chef de l'expédition vint à sa rencontre. Il marchait vite en balançant les bras. Les globes de ses yeux brillaient, blancs dans sa figure noircie par la suie et sa lèvre supérieure souriait, soulevant sa barbe de morse.

– Nous rentrons à la maison, Johansen, dit-il en riant et en l'étreignant, nous sommes sauvés.

Ces mots banals rendaient un son cordial. Chacun d'eux le touchait droit au cœur.

– J'arrivais, et voilà que j'ai une apparition, un homme...

Nansen le serrait familièrement contre lui, un bras autour de son épaule.

– C'était presque comique, Hjalmar, il était Anglais, et j'ai reconnu la réplique quand il m'a dit "I suppose you are Doctor Nansen ?" Qui d'autre aurais-je pu être, bon sang ? Voilà trois mois qu'ils nous cherchent. Cet homme s'appelle Jackson, le colonel Jackson...

Le chef de l'expédition jeta un regard circulaire et poursuivit sur un ton de coquetterie entendue :

– Toutes ces vieilleries, on les laissera ici. Nous n'emporterons que l'essentiel, Johansen, le reste, on l'oubliera. "Qui veut aller haut et loin sait qu'il ne se chargera point." N'est-il pas vrai ?

Ils se dirigèrent côte à côte vers le tas de leurs affaires et de leurs paquets encrassés d'huile de baleine. Les traîneaux étaient si seuls.

– Avant que nous les rejoignions, dit Nansen, avant que nous les rejoignions…

Il le tourna contre lui et ses yeux bleus brillèrent.

-… je voudrais te dire merci.

La pression était forte, contre ses épaules. C'était la prise d'un ours.

– Merci, Hjalmar, je te remercie.

Nansen le repoussa devant lui, les bras tendus, puis il l'étreignit de nouveau et l'embrassa chaleureusement sur la bouche. Quand ils se regardèrent dans les yeux, sa figure avait un air sérieux.

– Mais il y a une chose à quoi j'ai pensé : il vaut sûrement mieux qu'à partir de maintenant, nous nous vouvoyions… Je crois qu'il vaut mieux que nous recommencions à nous vouvoyer, Johansen, pour tout le monde…

Un vol des mouettes tridactyles qu'il avait appelées en vain passa au-dessus d'eux. Leurs ombres maigres glissèrent sur son visage comme de légers nuages de suie. Puis elles disparurent et pendant encore un moment, l'on n'entendit plus que leurs cris affamés. De très loin leur parvint le son de la sirène d'un bateau, qui rebondit à plusieurs reprises. Ce fut comme si l'espace même s'emplissait, une pression s'annonçait, elle arrivait de tous côtés. Mais il n'y avait rien à voir, sinon le tas de ces colis hors d'usage, et rien à dire non plus. Qu'avait-il à dire, en effet ?

20

Le retour fut grandiose. De très loin, au large, ils entendaient déjà le son de la musique et distinguaient les fanions colorés et le drapeau norvégien hissés de toutes parts et ils se tenaient debout, côte à côte, quand le navire glissa le long du quai. Des centaines de chapeaux noirs se levèrent et s'agitèrent lorsqu'on les ovationna, sans compter les mouchoirs blancs et les bouquets, et les plumes qui flottaient sur les grands chapeaux des femmes. Elles leur envoyaient des baisers de leurs mains gantées et en apercevant Nansen, plusieurs d'entre elles portèrent la main à leur sein et respirèrent profondément comme dans un soupir. Jackson et lui furent ovationnés, eux aussi, mais brièvement, il pensa à la raison de ces ovations. Ils n'avaient pas atteint le Pôle Nord, ils s'en étaient rapprochés davantage, – surtout grâce à un hasard – mais ils ne l'avaient pas atteint et le "Fram" restait toujours prisonnier de la banquise. Il eut la vision de la tête blonde d'Arnljot et du ventre de Sverdrup, barré par la chaîne de sa montre. Pavoiserait-on aussi quand ils réapparaîtraient, s'ils le faisaient un jour ? A coup sûr, parce que les gens sont toujours heureux d'avoir l'occasion d'agiter leur chapeau et de crier hourra.

Les fêtes se succédèrent, ils répétèrent la même histoire jusqu'à ce qu'elle soit usée jusqu'à la corde, mais tout le monde semblait transporté et apparemment, personne n'en avait jamais assez. Nansen avait fière allure, en civil et avec sa famille. Le sérieux qui émanait toujours de sa personne avait acquis une profondeur supplémentaire, sa façon d'aller au devant des gens avait quelque chose d'affectueusement expansif, comme si le surcroît de vitalité qui soustendait ses conquêtes était inépuisable. Cet homme ne cessait de donner sans s'oublier lui-même, c'était une âme équilibrée, un mécène qui avait suffisamment de ressources pour tout le monde, mais qui ne donnait jamais trop, sachant d'instinct que la modération géniale est le chemin du succès, que ce sont avant tout la discipline et la raison, le professionnalisme et la faculté d'évaluer froidement les données qui mènent au but convoité. C'était d'ailleurs ainsi qu'il élevait ses enfants. Il avait des conseils à leur donner à propos de n'importe quoi, mais ils mangeaient de la bouillie tous les jours et quand ils faisaient du ski ensemble, leurs planches ne différaient pas de celles des autres, ce n'étaient pas des skis en hickory mais en frêne, comme il se devait.

La dernière fois qu'il le vit fut le jour où Nansen reçut sa nomination d'ambassadeur de Norvège à Londres. En sortant de la bibliothèque, il était passé par hasard par l'avenue Carl Johan, et quand il se trouva, par ce temps gris, au coin du Café du Théâtre, il vit arriver une automobile à l'arrière de laquelle se trouvait Nansen coiffé d'un tricorne, portant des épaulettes et un sabre. Il ressemblait à une superbe figure de carnaval. Quand il sortit sur le trottoir, les éperons de ses bottes cliquetèrent si fort que les gens se retournèrent sans le vouloir pour voir ce qui se passait. Un petit groupe enthousiaste se forma vite autour de l'ambassadeur qui salua en portant la main à son couvre-chef ridicule et fit mine de se retirer lentement sous le baldaquin, puis dans les ténèbres du restaurant, toujours accompagné du cliquetis de ses éperons. Mais sur la marche de l'escalier, il s'arrêta en plissant les yeux, il avait aperçu quelque chose et fit un signe de sa main gantée de blanc, tandis que les gens reculaient de quelques pas.

– Capitaine Johansen, dit-il d'une voix forte, capitaine Johansen, faites-moi l'honneur…

Mais il ne put se résoudre à obéir à cette invitation. Comme naguère, il sentit ses genoux se dérober sous lui, il tourna les talons au milieu de la foule, nombreuse à présent, et partit d'un pas rapide en direction du Parlement. Le pluie commençait à tomber, et quand il traversa le parc de Studenterlunden, il vit un revenant. Pas cet homme sur son socle, au regard perçant derrière son pince-nez, taillé dans le granit à présent, mais un personnage mince qui, bizarrement, reflétait le visage de Nansen. Moins épais que lui, plus petit, il n'avait pas une barbe de morse, mais était barbu malgré tout, et il y avait ces yeux, à la fois séducteurs et perspicaces, mystérieux et tout à fait limpides. Il ne savait rien de lui, sinon qu'il peignait hideusement, qu'il était possédé par la jalousie, qu'il souffrait de tuberculose mentale, qu'il explorait des régions inconnues de l'être humain, qu'il parcourait des contrées que nul n'avait encore vues – pas de la même manière que lui, en tout cas. Il ne se rappelait même pas son nom, mais pendant une seconde, quand son propre visage se refléta dans celui de l'autre, il comprit que ce n'était pas Nansen qu'il avait vu, mais lui-même.

Une étrange sensation du passage du temps pénétra insidieusement en lui, il se mit à vivre toutes choses par étapes. Il voyait son existence comme dans un catalogue. Il y avait son enfance, sa scolarité, le lycée, l'école des recrues, le "Fram", Nansen, Christiania. Il y avait Nansen. Chaque fois qu'il arrivait à lui, le cadre de l'image qu'il s'était faite tombait, et à sa place, il voyait un objet flou, sans contours, au centre duquel rougeoyait quelque chose d'indéfinissable ou une chose qu'il n'osait pas voir. Comme l'un des tableaux de ce peintre, qu'il avait vu dans une exposition : il renfermait un noyau, mais l'écho bariolé qui grandissait tout autour rugissait. Les couleurs n'étaient pas les seules à vibrer, du tableau émanait un son qui l'avait frappé si fort qu'il avait eu envie de faire demitour et de s'enfuir, en même temps qu'il aurait voulu entrer, ah, la violence de ce sentiment !, il voulait entrer, comme il voulait être rempli, il voulait pénétrer, en même temps qu'il voulait s'enfuir et se cacher, fourrer sa tête dans un buisson ou dans le sable, où les images s'estomperaient et où le son de toutes ces voix s'affaiblirait ou disparaîtrait tout à fait.

Quand il considérait, dans sa chambre, chacune des composantes de sa vie et les additionnait, il ne pouvait rêver plus beau modèle. Aucun doute, il s'était élevé au-dessus des contingences, et c'était un avancement. Il n'était écrit nulle part qu'il devait aller aussi loin qu'il l'avait fait en réalité. Le baccalauréat n'aurait pas suffi à lui valoir un statut spécial, il le devait avant tout à l'avancement remarquable dont il avait bénéficié à bord, en sautant de son emploi de simple soutier à une place située au même niveau que celle du chef. C'était vrai, c'était une constatation et ce qui s'était passé par ailleurs n'y changeait rien : il était allé loin !

Il contemplait les journaux largement ouverts sur sa table, regardait les longues colonnes consacrées à leurs exploits, les photographies, les dessins, et tandis que la nuit tombait et que les bruits de la ville s'introduisaient dans sa chambre, le roulement des voitures à cheval, le grincement du tramway sur les voies, il essayait de maintenir solidement sa chance, qui ne s'était d'ailleurs pas démentie depuis leur retour. Un arrangement avec l'armée l'avait promu au rang de capitaine et il ne s'était pas encore habitué à voir le sergent, son ancien supérieur, claquer des talons et se redresser, la main au calot, pour le saluer (et le congratuler) dès qu'il se montrait.

Les grandes manœuvres militaires qui devenuaient plus fréquentes du fait de la tension de la situation politique, lui apportaient un certain soulagement, ou une distraction. Il découvrit que commander ne lui déplaisait pas, et là, lorsque c'était légitime, il sentait que de temps à autre, ses exigences atteignaient la limite des bornes permises. Rien de plus simple, en effet : il donnait ses ordres et on lui obéissait. Cette expérience lui permettait de refouler sa faiblesse émotionnelle, qu'il ressentait de temps en temps comme une hémorragie interne. Il devinait un vestige de l'assurance illimitée qu'il avait connue sur ses skis ou quand il mettait son fusil en joue. Il suffisait de se laisser aller, et les choses réussissaient, la chance même devenait palpable, ou du moins, était à sa portée.

De son poste de commandement, il vit se dérouler un nouvel exercice. Une division d'infanterie, sous la direction du sergent, devait forcer un terrain entouré d'une clôture de barbelés assez basse sous le feu des mitraillettes. Les hommes devaient garder la tête baissée pour éviter d'être fauchés par le tir. Les cartouchières contenaient des balles réelles. C'était une situation délicate, surtout parce que cet exercice était nouveau et pas encore éprouvé, N'ayant aucune raison de prendre des risques, il avait donc fait en sorte que le tir se fasse en hauteur. Mais pendant la manœuvre, il lui sembla que l'illusion du danger qu'on essayait d'inculquer aux soldats manquait de réalisme, ce n'était qu'un feu d'artifice, de la fumisterie. Il donna l'ordre d'arrêter et descendit à la batterie où se trouvaient les tireurs en leur disant de corriger l'angle du tir. Le sergent, debout à côté de lui, ne dit rien, se bornant à regarder droit devant lui. L'exercice se poursuivit et il commanda aux hommes d'avancer.

Quand il vit tomber les balles, il eut peur, tant la ligne de tir était proche du bas du dos des hommes qui se levaient et se baissaient pour avancer en rampant, mais il ne donna pas le signal de la fin de l'exercice. Au contraire, une fois le premier frisson passé, il éprouva un mépris inattendu, il se disait même à part lui : s'ils ne s'en tirent pas, ce sera leur faute. S'ils ne tiennent pas le coup et s'ils se font faucher le derrière, ils n'auront aucune chance de s'en sortir quand ils seront au feu pour de bon et que cela deviendra vrai.

Le sergent lui présenta la division lorsque le dernier homme eut franchi l'obstacle, indemne, et que le tir eut cessé de hoqueter. Ayant traversé, lui aussi, le sergent était gris de poussière de la tête aux pieds, seule sa figure émergeait, pâle comme un linge. Il avait peine à reprendre son souffle.

– Très bien, sergent.

– Bien, mon capitaine.

– Mais pour le moment, ce n'est qu'un jeu. Y avez-vous pensé ?

Il entendit sa voix et ces mots étranges. Il n'avait pas coutume de parler de cette manière. Était-ce lui qui parlait ?

Le sergent ne répondit pas, mais il eut l'air désorienté.

– Non, vous n'y avez pas pensé, bien entendu. Vous obéissez aux ordres, et c'est bien ainsi.

Il se souvenait du sergent dans une autre situation. Il se souvenait de sa chaleur.

– Bien. Cet exercice est un jeu. Ce qui compte viendra plus tard. Si cela vient...

Des mots obscurs et vagues, quelque chose était en train de se dissoudre, il se reprit :

– Est-ce que le tir était trop bas ?

– Nous avons traversé.

– Il était trop bas.

– Oui mon capitaine.

– Dites à vos hommes de rompre les rangs.

– Bien mon capitaine.

Il y eut une pause.

– Et vous, sergent, qu'en dites vous ?

Le trouble fit monter des couleurs sur son visage blanc.

– Moi... ? Rien.

– Non, naturellement. Vous ne dites rien. Du reste, qu'auriez-vous dire ?

Il sourit.

– Rompez.

Le sergent, raidi, refit le salut militaire, puis se mit au repos.

Pendant qu'il tournait les talons, il eut un regard d'incrédulité méprisante. Il descendit vers la colonne poussiéreuse, qui ressemblait à un troupeau de moutons.

A table, il s'efforça d'analyser le mot "jeu", mais en vain. Il se demanda aussi s'il jouissait de cette autorité récente, mais la réponse n'était pas claire. Il avait l'impression qu'il devait se forcer pour être excité, une impression familière depuis qu'il s'était mis à relater par écrit ce qu'il avait vécu sur la banquise. Il savait que Nansen faisait de même, sans savoir si le chef de l'expédition éprouvait la même résistance ligneuse chaque fois qu'il devait coucher un mot sur le papier. C'était une tâche affreuse, un cauchemar. Non qu'il n'ait su écrire ni que leurs aventures n'aient pas existé, puisqu'elles étaient là, jour après jour, l'une après l'autre. Les enregistrer et les coucher sur le papier ne présentait pas de difficulté en soi, mais on eût dit qu'en cours de route, elles se retournaient contre lui, leur dureté le prenait à la gorge et menaçait de l'étouffer. Maintes fois, il avait failli abandonner, et ce fut pendant cette période qu'il comprit qu'il était obligé d'aller voir Nansen encore une fois.

Debout devant la fenêtre, les mains dans le dos, il fixait des yeux une pluie si désespérante qu'il s'aperçut seulement plus tard que la pluie tombait en lui. Mentalement, il était trempé et prêt à se laisser emporter comme une feuille morte par le courant. Le livre de Nansen sur l'expédition du "Fram" avait paru et Kristiania exultait, de même que toute la Norvège. Quoi qu'il fît, son propre récit n'en serait qu'un pâle reflet, s'il terminait jamais son livre. "Son livre", il détestait ce mot, "le livre", "les livres", c'était à vomir, car enfin, que disaient ces livres ? Rien d'autre que ce que tout un chacun savait d'avance ou pouvait deviner tout seul. "Ce livre", c'était un faux, un numéro de parade, du bluff.

En approchant de la grande villa, il entendit chanter, par

une fenêtre ouverte. Ce devait être elle. Il faillit faire demi-tour, mais une colère douloureuse le poussa en avant. De chaque côté de la large allée, des lilas déversaient sur lui de lourdes grappes fleuries, on eût dit un tunnel de parfum. Un domestique le fit entrer et le chant, assourdi, cessa peu après. Une porte s'ouvrit et Nansen parut, vêtu d'un costume gris à gilet, une rose à la boutonnière, il lui prit les deux mains.

– Hjalmar, dit-il d'une voix étouffée.

Ils entrèrent dans une salle haute de plafond aux meubles de bois lourds et simples. La lumière qui baignait la pièce se teintait de rouge pâle à cause des vitres de couleur qui ornaient le haut de la grande fenêtre. Une auréole de nostalgie encadrait le visage du chef de l'expédition, mais il avait le regard énergique et bleu.

– Cela fait longtemps, dit-il en joignant le bout des doigts et en posant les coudes sur la grande table de bois qui les séparait.

– Que vous apporte la vie, Johansen ? Avez-vous fini votre livre ?

Son ancienne faculté de donner aux gens l'impression qu'il focalisait sur eux toute son attention continuait à agir, mais une distraction s'y glissait. Un instant, Nansen regarda les ongles de sa main droite, puis son regard changea à nouveau de direction.

– Vous croyez que je sous-estime ce que nous avons eu ?

Il répondit lui-même à cette question rhétorique.

– Je n'oublie rien. Je n'oublie jamais, Hjalmar. Vous êtes dans mon cœur.

Nansen leva la main et la posa sur sa poitrine, juste sous la rose. Ces mots rigides n'ouvrirent aucune brèche, que lui répondre ? La table était comme un champ d'exercice, le sexe était relégué sous un abri antiaérien. A l'étage supérieur. le chant reprit.

– J'ai pensé... dit-il.

Mais il n'en dit pas plus. Nansen se pencha vers lui :

– Écoutez. Prêtez l'oreille à la musique. Ce sera peut-être la dernière que nous entendrons. Les nuages sont bas, Hjalmar, l'orage menace l'Europe. De grandes missions nous attendent. Vous... et moi.

Le chef de l'expédition se leva et arpenta la pièce.

– Je trouve que nous avons appris quelque chose... ou plutôt, je devrais dire que j'ai appris quelque chose. Nous devons sortir nous-mêmes. Représenter quelque chose pour autrui. Embrasser le monde. Nous devons faire quelque chose pour les hommes.

Il leva la main.

– Ne croyez pas que je n'aie pas rêvé d'atteindre le sommet et que ce rêve n'existe plus. Nous qui avons regardé si loin vers le nord, nous le savons. Mais il existe aussi un autre monde, proche et lointain, – qui réclame notre contribution. Vous le savez en tant que militaire, et moi en tant qu'humaniste. Un monde existe en dehors du nôtre. Il y a quelque chose à défendre, Hjalmar Johansen, nous devons nous défendre, sinon, cela tournera mal !

Il tourna sur un talon et sourit soudain :

– Il faut que vous disiez bonjour à ma femme. Oui, il faut que vous disiez bonjour à ma femme. Les choses ont été tellement officielles, la dernière fois, pas aussi cordiales que je le souhaitais. Il faut absolument que vous disiez bonjour à ma femme.

D'un pas rapide, il se dirigea vers la porte et sortit. La pièce était vide. Peu après, le chant s'arrêta de nouveau, mais avant que Nansen ait mis son projet à exécution, il s'était levé, était sorti, avait mis son calot et suivi l'allée bordée de lilas jusqu'à ce qu'il arrive à la rue et que la barrière retombe derrière lui.

Quelque temps après, il prit l'habitude d'ôter son uniforme

et de partir en ville, sans dire à personne ce qu'il allait faire. Son livre parut et ils écrivirent, admiratifs, qu'il était digne d'admiration. L'ouvrage, par-dessus le marché, donna même lieu à deux traductions, ce qui ne l'empêcha pas d'avoir un goût de cendre dans la bouche. Il dépensait sa solde pour des amours vénales, mais cela n'avait pas de goût non plus, même quand il était ivre et s'efforçait de s'exciter. Un soir de brouillard, où les lumières de Karl Johan étaient encore plus jaunes qu'à l'ordinaire et où la bruine les nimbait d'une aura, le sergent apparut et essaya de l'entraîner dans un bouge où il y avait aussi des garçons. Mais tout resta sans effet, il s'effondra, épuisé, sur un matelas moite et quand il ferma les yeux, il vit passer devant lui une succession de rideaux lumineux d'aurores boréales, avant de tomber dans l'inconscience qui éteignit tout.

Le fusil était debout contre le mur, à côté d'une chaise de salle à manger. Sous la lumière matinale, il se détachait nettement sur le vert-de-gris de la tapisserie. Quand il se vit dans le miroir, il trouva son visage sans contours et presque plat, comme un tableau mal fait, peint n'importe comment. Il n'était pas rasé. Il avait envisagé de rentrer chez lui. Il avait envisagé de quitter la ville. Mais en repensant à l'étroitesse des ruelles et au vide figé de là-bas, il modifia ses projets. Le fusil était le cadeau que lui avait fait l'expédition. La lunette était dessus, et en fermant les yeux un instant, il revit en pensée le réticule de la mire, un homme qui arrivait en chancelant, une lanterne à la main, tandis que deux corbeaux passaient au-dessus du toit, bien que le soleil fût couché depuis longtemps. Il vit aussi un autre personnage, mais il ne voulait pas le voir.

Il dévissa la précieuse lunette du fusil. Il s'était assis sur la chaise. Il portait un pyjama à rayures bleues et avait les pieds nus. Sans bouger, il caressa de la main toute la longueur du canon. Puis il arma son fusil, leva le pied et mit le gros orteil dans le pontet. Gauchement, il se pencha en avant et prit le bout du canon dans sa bouche. Il sentit le goût de l'huile, la graisse consistante et la dureté du canon. Il vit le terrain, les barbelés, les hommes qui rampaient. Il vit le sergent et Arnljot. Presque étouffé, il sanglota en prononçant un nom. Il pensa désespérément à sa mère ainsi qu'à la jeune fille aux larges épaules, à sa main ouverte dans la clairière, devant le sentier.

Il ne réfléchit pas. Il se tua. Soudain, l'image se colora.

Une aura s'élargit, prenant toutes les couleurs de l'arc-en-ciel, elle s'élargit encore et encore. Puis ce fut la nuit.

FIN